## Du même auteur

Aux éditions Le Dilettante :
- *Les Baltringues*, 2002
Folio (N° 3980) (2004)

- *Le 18*, 2004
Folio (N° 4348) (2006)

- *Les Chiens écrasés*, 2006

A Mimi, Maurice et Pinder,
parce que sans eux...

# Préambule

Le 14 janvier 1925, dans un salon particulier de l'hôtel international de Kunming dans la province du Yunnan au sud-ouest de la Chine, un petit homme sec en costume gris reçut dans le plus grand secret la visite du docteur Sun Yat-sen président de la République Chinoise. Le lendemain 15 janvier dans le même salon, et toujours aussi discrètement, il recevait Mao Zedong, cofondateur du parti communiste.

Ce petit homme gris et sans saveur s'appelait Yun San-Tse. Le général Yun San-Tse. Il était un infime et obscur seigneur de guerre qui régnait avec brutalité sur une minuscule bande de terre dans le sud du Yunnan à cheval sur deux frontières : celles de la Birmanie et du Laos.

Qu'avait-il donc de si important à proposer aux deux hommes pour qu'ils prennent le risque et le temps de répondre favorablement à son invitation ?

Yun San-Tse n'était pas un grand général même s'il était diplômé de l'école militaire de West Point, ni un bon politique, mais c'était un rusé. Et il avait bien compris que l'alliance entre le Guomindang et le PC finirait inexorablement par une campagne militaire destinée à éradiquer le pouvoir des seigneurs de la guerre. À terme, les Zhang Zuolin, Wu Peifu et Sun Chuanfang, les plus importants des seigneurs, finiraient collés à un poteau de bois face à douze hommes armés. Avant tout le monde, peut-être même avant le docteur et le grand timonier, il avait compris que son temps était fini. Que lui aussi, s'il s'obstinait à jouer à la guerre, il se retrouverait un jour en face à face avec un peloton.

Et si la mort des autres ne l'embarrassait absolument pas, il n'envisageait la sienne que tardive et paisible. Aussi décida-t-il de vendre sa vie aux deux hommes.

« Une fois que vous aurez vaincu les seigneurs de la guerre qui divisent le pays », leur déclara-t-il, « viendra le temps où les alliés d'un jour deviendront les ennemis à abattre. C'est la loi du pouvoir et de l'histoire : vous le savez, je le sais et ils le savent. Et cette guerre sera sans doute plus longue, plus sanglante et plus coûteuse que celle que vous aurez menée ensemble. Vous aurez besoin d'argent, d'armes, de munitions. Je vous propose de vous fournir les trois gratuitement. En échange, je vous demande d'oublier mon domaine, d'oublier mon nom et de me laisser mener mes affaires à ma guise. » Sun et Mao acceptèrent la proposition.

En juillet 1926, quand fut lancée « l'Expédition du Nord » qui vit la fin des seigneurs de guerre, le domaine du général Yun San-Tse fut miraculeusement épargné par les armées chinoises.

Le 1er janvier 1927, la cité du jeu de « Ouang Schock » était inaugurée en grandes pompes par Monsieur Yun San-Tse, président directeur général de la « Ouang Schock compagnie ». Six casinos, douze hôtels, deux champs de courses, un stade et de la lumière à ne plus savoir qu'en faire.

Ce que le monde comptait de célébrités avait été invité : des acteurs, des comédiennes, des chanteurs, des cantatrices, des sportifs, des mondaines, des princes, des princesses, des hommes politiques... plus tous ceux qui n'avaient pas été invités, mais qui étaient là. Les Lucchesi de Bastia, les Andolfi de Naples, Les Caterogni de New York, Madame Muy de la Porte Close... le gratin du jeu à grande échelle.

Yun San-Tse tint parole. L'argent commença de couler à flot dans les caisses du Guomindang et du PC. Puis, au fur et à mesure des hasards de la guerre, il se fit plus rare pour les premiers et plus important pour les seconds.

Aujourd'hui, Monsieur Yun San-Tse est mort, mais Ouang Schock existe toujours. C'est devenu une grande ville maintenant. Vingt-sept millions d'habitants, dix-huit mille six cent douze tables de poker, vingt-deux mille quatre cent vingt-sept pistes de kraps, deux cent dix-sept mille machines à sous, trente-sept chaînes de télévision, vingt-sept mille prostituées fichées, douze mille six cent seize boites de strip-tease et trente millions de touristes par an, avec un chiffre d'affaires de... voilà le genre de chose qu'il ne vaut mieux pas chercher à savoir. La Ouang Schock compagnie veille jalousement sur ses petits secrets.

Au fait, savez-vous pourquoi la ville s'appelle Ouang Schock ?

C'est à cause du séjour de Monsieur Yun San-Tse à West Point. Quand il en est revenu, il n'avait retenu qu'une chose et il le répétait à tout bout de champ avec son accent chinois : « You just need Ouang Schock (One shot) to solve a problem ».

Chronique de Ouang Schock

# Carotide Blues

Ludovic Roubaudi

Chroniques de Ouang Schock

# Carotide Blues

Timée-Editions

# 1

« Les horreurs c'est comme les naissances... faut toujours que ça arrive en plein milieu de la nuit. »

Le commissaire Wayne Cassidy ne me regarda même pas en laissant tomber sa vérité première. De toute façon, ce soir-là, personne ne regardait autre chose que les petits paquets bien emmaillotés sortis un par un du conteneur frigorifique du dock 23 par les hommes de l'OSPD. Vingt-sept paquets contenant tous un fœtus congelé.

En dix ans de carrière à Télé7, j'en ai vu des cadavres : des truffés de plombs, des pieds en ciment, des laminés à la batte de base-ball, des brûlés à l'acide... une sacrée collection d'ignobles façons de mourir. Mais là, j'avais une boule dans la gorge et je n'étais pas la seule.

Un adulte, quand ça tourne macchabée, il y a une sorte de logique... la mort doit bien frapper un jour. Mais un enfant ! Un fœtus ! Ça passe difficilement.

Du coin de l'œil, je regardais Yen Fat qui se tenait bien droit avec le regard fier et lointain malgré les menottes et la barbe de trois jours au menton. Avec les néons pisseux qui inondaient le bitume humide de jaune et de gris, la bruine en rideau sur le fond noir de la nuit et les odeurs de poissons morts dans des relents de gasoil, il ne faisait pas tache. Ce type était une pourriture finie. À la tête de son gang, il séquestrait des clandestines, les foutait enceintes et déclenchait l'accouchement à six mois et douze jours exactement... Ça ne semblait pas le gêner ces petits paquets congelés, le père Yen Fat. Il semblait même s'en foutre complètement... Faut dire aussi qu'au stade où en était l'enquête, il n'avait plus grand-chose d'autre à faire que de se foutre de tout. Il y avait trop de preuves contre lui. En contrepartie de sa collaboration, il avait gagné le droit de vivre la fin de son existence dans une cellule sans fenêtre de la prison de Huan Gia... triste perspective... moins triste néanmoins que les douze balles dans la peau qu'il aurait gagnées à ne pas balancer ses complices. La seule chose que Fat n'avait pas racontée aux policiers était ce qu'il faisait des fœtus. Pas un mot ! Pas un soupir ! Et pourtant, il y en avait eu des interrogatoires... Certains basés sur la psychologie, d'autres en ligne totale avec le manuel du bon policier et certains autres un peu plus physiques. Mais Fat n'avait rien dit : ni sur les fœtus ni sur les filles dont on avait retrouvé les corps disséminés dans la ville.

Le commissaire Cassidy avait été lancé sur l'affaire à la suite d'une dénonciation anonyme. En trois semaines, il avait mis la main sur six cadavres de femmes et découvert deux chargements de fœtus. Puis il avait coincé Fat... toujours grâce au mystérieux informateur. Sur notre dock 23, nous assistions au dernier acte du drame...

Toujours sans me regarder, Wayne Cassidy me demanda :

« Ça passe à quelle heure ? »

J'ai regardé ma montre : 3 h 22.

« Avec de la chance au Goopeal de six heures... »

« Quoi !!! Même pas le Hot News ? »

« L'histoire est vieille, commissaire... et puis il y a la finale, ce soir. »

« Ouais, si tu le dis... »

C'était notre deal à tous les deux. Il me faisait monter sur tous ses coups et je lui assurais une bonne couverture télé. Nous n'avions pas à nous plaindre de notre association. Sa bouille à l'antenne le rendait quasiment intouchable et lui permettait de mener ses enquêtes et sa brigade à sa guise, et j'y avais gagné mes galons de présentatrice spécialisée... un très bon deal.

J'avais espéré au tout début de l'affaire Fat que cette histoire me permettrait enfin de devenir présentatrice de prime. Hélas, malgré tous mes efforts, l'audience n'avait jamais décollé. On avait pourtant bien monté la sauce tous les deux. Au début, nous avions joué sur la piste d'un tueur en série, puis sur celle d'une bande organisée, puis enfin sur le trafic d'organe. Au début, j'avais eu droit aux honneurs du Goopeal avec ma bouille à l'antenne, puis simplement des images, puis les flashs... et puis plus rien. Difficile de capter l'attention du téléspectateur plus de dix jours sur un sujet à Ouang Schock.

J'ai un beau bureau à Télé7, au quatorzième étage en façade sud du Quinte Plazza, avec deux fenêtres qui donnent l'une sur le parking l'autre sur *Winston Smith*, le boulevard des casinos. Le quatorzième, ce n'est pas encore l'étage des vrais patrons, mais la façade sud, c'est un signe qui ne trompe pas : si je ne suis pas encore une présentatrice vedette, je ne suis plus de cette valetaille que l'on envoie couvrir les incendies et les meurtres passionnels.

Malgré ça, j'ai quand même été surprise de l'invitation qui m'attendait sur mon bureau. Une belle enveloppe crème, du papier vélin épais, une typo élégante et grise. Et à mon nom s'il vous plaît, pas comme la majorité des autres que mon patron me refile à l'occasion quand son agenda est surchargé.

Faut dire aussi que tout le monde n'est pas invité par Jonah Quinte en personne... pour ça il faut être dans les trentièmes étages au moins, ou être vraiment très riche... ou pouvoir lui être utile.

Jonah Quinte, c'est le secrétaire général du Grand Conseil des Annonceurs. C'est lui qui est à l'origine de la loi éponyme sur la télévision obligatoire dans les lieux publics... Un Monsieur à qui très peu de gens à Ouang Schock peuvent dire non.

Il possède Télé7 et quelque dix autres réseaux en plus de participations dans trois casinos, deux entreprises américaines d'armement, une compagnie aérienne et une myriade d'autres trucs qui lui rapportent une fortune tous les ans. Mais sa grande réussite, c'est www.crash.co.os, le site des plus beaux accidents de la route du monde entier. C'est son idée de génie, celle qui a fait sa fortune.

Il y a de cela trente ans, il a proposé aux forces de police automobile de Ouang Schock d'équiper tous les grands axes routiers de caméras de surveillance. Il fournissait l'équipement, la maintenance et les images. En contrepartie, il conservait la propriété intellectuelle et artistique des images et le droit de les commercialiser. Au début, personne n'a compris comment il allait gagner de l'argent avec ça... mais les policiers ont accepté. Après tout, s'il voulait perdre son fric, c'était son problème.

Le lendemain matin, les huit assureurs de Ouang Schock annonçaient de concert que les dossiers d'indemnisations de sinistres automobiles devaient dorénavant contenir un extrait vidéo de l'accident. Le site www.crash.co.os, où les accidentés pouvaient acheter leur accident, fut lancé le même jour. Six mois plus tard, Quinte installait des caméras à Los Angeles, Pékin, New Delhi, Marseille, Helsinki, Londres... aujourd'hui, huit cent quatre-vingt-sept villes sont équipées de ses caméras.

Sur crash, on peut toujours obtenir les images de son accident, mais on peut surtout regarder les plus beaux carambolages de la planète. Avant-hier, le site avait reçu un million six cent deux mille visiteurs.

Vous comprendrez donc pourquoi j'étais étonnée et fébrile... assez fière aussi, je dois bien l'avouer. Et puis, assister à la finale du championnat de Street Fight League au *Zamiatine*, l'immeuble de Quinte, c'est quand même autre chose que de la mater dans un Lockers ou au bar du coin.

« *Goopeal News six heures Avec Rachel Twinnings. L'actualité du monde et de la nuit en trois minutes. Dernier entraînement pour Osseman Drive et Five Q Rock avant la finale de la Street Fight League ce soir. Dans son loft de Zappa Beach, Five Q nous livre son pronostic : « Je vais lui arracher la tête et lui chier dans le cou à ce vieux débris. Demain soir, vous assisterez à la fin d'une mascarade qui dure depuis trop longtemps ». Whao, voilà qui nous promet un grand moment de sport ce soir en direct sur Télé7 /*

*Images sensationnelles avec cet accident terrible sur le motorway 37 : douze morts et six blessés graves. Dans le rond rouge, la tête du chauffeur du poids lourd décapité par la portière de la voiture bleue. Vous pouvez retrouver l'accident en direct et l'intégralité des actions de secours sur www.crash.co.os à la rubrique l'accident du jour / Sonia Ladouce, l'actrice de charme, a signé un contrat de 25 millions de* sterlins *avec la maison de production Vibra pour 14 films : « J'offrirai à mes admirateurs avec l'aide de Vibra mon premier Gang Bang interracial. Une partie des droits sera versée au WWF pour la sauvegarde de la forêt noire » / Jackpot record au Gran Slam de Ouang Schock où une joueuse de Lettonie empoche la somme extraordinaire de 1,5 million de* sterlins */ Trois morts ce matin dans une fusillade dans un bar d'East End. D'après la police, il s'agirait d'un règlement de compte entre bandes rivales / Suite et fin de l'affaire Fat avec ce matin, aux aurores, la découverte par les hommes du commissaire Cassidy du dernier chargement macabre de fœtus / Début aujourd'hui du procès de Liam Baodang, le secrétaire général de la National Ethic Fundation, inculpé de détournement de mineur et pédophilie / International maintenant : Les forces de sécurité sont intervenues dans la prison de Bangu à Rio pour mater une mutinerie. 32 morts et 64 blessés chez les mutins / C'était Goopeal News six heures »*

Je suis descendue au Desk pour voir s'il n'était pas possible de leur fourguer ma bobine et mes fœtus pour le *Goopeal* de dix heures. Le Desk est au premier étage, pour que les coursiers puissent prendre l'escalier plutôt que d'attendre les ascenseurs pour livrer ou récupérer les microdisk des reportages.

C'est un grand espace sans cloisons où la température ne dépasse jamais quinze degrés pour protéger les ordinateurs qui tournent en permanence. Je ne vous raconte pas le bruit de la clim... à devenir sourd. Il doit y avoir en permanence quatre-vingts - cent personnes qui bossent à fond la caisse. Le Desk, c'est le cœur de Télé7. C'est là, au premier étage paysagé, qu'arrivent toutes les images tournées par des gens comme moi. Elles sont montées, classées et archivées.

Au centre de la grande salle, il y a six bureaux surchargés de paperasse et de gobelets de cafés. Ce sont les bureaux de Munt Yat Foe, la rédactrice en chef des news de Télé7, et de ses cinq chefs des informations. Robby Sanglar pour les affaires sportives, Heinrich Zigler pour les jeux, Miutu Muy pour les affaires criminelles et Jonathan Honoré pour l'international... les sujets de politique ne sont pas traités au Desk, mais au trentième étage.

Moi, je dépends de Miutu Muy... la grande prêtresse des affaires criminelles. Quand j'ai débuté dans ce métier, on m'a laissé entendre que sa grand-mère aurait été une des cinq dirigeantes de la Porte

Close... la plus puissante des triades de l'Ouest chinois. Je ne sais pas si c'est vrai. Personne ne le sait ni ne le saura jamais parce qu'il faudrait soit le lui demander, soit enquêter. Et honnêtement, je ne sais ce qui me ferait le plus peur : enquêter sur les triades ou interviewer Muy. Elle doit avoir soixante ans peut-être et garde encore au visage et dans le corps des traces de beauté et de souplesse qui font regretter de ne pas l'avoir connue trente ans plus tôt. Elle a une voix rauque presque masculine à force de Players sans filtre et des valises sous les yeux qui pourraient servir à passer en fraude tout le whisky qu'elle écluse avec constance de huit heures du matin jusqu'à minuit, heure à laquelle elle rentre chez elle. Miutu parle fort, tape du plat de la main sur la table quand elle est contente, trousse des commentaires aux reportages avec le génie de l'alcoolique cynique, et ramène régulièrement le soir chez elle des petits stagiaires des deux sexes qui, par envie ou par crainte, n'osent refuser ses invitations. En clair, c'est une grande dame et une formidable journaliste.

Je l'aime bien et je crois que c'est réciproque, bien que je ne sois plus stagiaire depuis bien longtemps.

Lorsque je suis arrivée, elle allumait une nouvelle Players au mégot de la précédente, avait les pieds posés sur son bureau et tenait à la main le découpage timecodé d'un reportage. Elle m'a repérée, a glissé son regard au-dessus de ses demi-lunes et a jeté le mégot dans le seau à cendres qui lui servait de poubelle.

— Tiens ! Voilà ma grande sauterelle préférée. Qu'est-ce que tu veux cette fois ? Un conseil, une cigarette ou ta tête à l'antenne ?

— Troisième hypothèse, ma belle.

— Alors au revoir. Le Goopeal de dix heures est complet et on ne parle jamais de macchabée à celui de treize heures. Tu le sais aussi bien que moi d'ailleurs.

— Je sais : il ne faut pas couper l'appétit des masses laborieuses ni les déprimer avant qu'elles ne reprennent le labeur. Je connais les dix commandements de la maison, Miutu. Mais là, c'est quand même du lourd. Yen Fat va aller pourrir en prison jusqu'à la fin de ses jours et l'affaire est close. Pas de cadavres, pas de sang... rien que la gloire de la police locale.

— Je m'en contrefous, ma chérie. Même sans image, je me vois mal balancer à nos chers téléspectateurs du fœtus congelé pendant leur déjeuner.

— Allez Muy, soit sympa bordel. Si je ne passe pas aujourd'hui, je ne passerai plus à l'antenne avant ma prochaine affaire. Et je n'ai rien sur le feu.

— Pauvre petite Ashelle qui a peur que son visage se fripe si son image n'est pas régulièrement mise à l'antenne.

— Allez Miutu, un bon geste.

— Si je voulais faire un bon geste, comme tu dis, eh bien je t'interdirais d'antenne. Depuis que tu montres ta bobine, tes reportages sont de plus en plus mauvais. Tu ne cherches plus la vérité, mais uniquement un moyen de te montrer... t'es devenue une merde, ma grande. Je te prédis d'ailleurs un grand avenir de merdaillonne en chef. Continue sur cette voie et tu finiras aux Goopeal de vingt heures à lire en boucle la prose du trentième.

Pas besoin de vous expliquer que Miutu avait une conception un peu dépassée des infos à la télé... pour elle, le spectacle ne devait pas primer les faits. À deux cent mille *sterlins* le pop-up publicitaire pendant les Goopeal, vous pensez bien qu'on n'allait pas s'amuser à informer le téléspectateur avec des faits sans images-chocs. Certains s'en plaignent, moi je fais avec. D'ailleurs, cela fait bien longtemps qu'il n'y a plus de carte de presse à Ouang Schock... nous ne sommes pas naïfs à ce point.

— Tu trouves que ma série sur le trafic de fœtus n'était pas bonne ?

— Si je regarde les courbes d'audience, je la trouve fantastique, ma petite chérie. Si je la visionne, elle me donne envie de vomir.

— Quelle est notre mission, Miutu ? De l'audience ou du sens ?

Elle alluma une nouvelle Players et me gratifia d'un beau sourire.

— Toi, je t'aime parce que tu es la plus belle représentante de cynique à sang-froid que je n'ai jamais vue. Et dans cette ville, laisse-moi te le dire, le cynisme est plus puissant qu'un sept soixante-cinq.

De la main, elle me désigna la bouteille de whisky à peine entamée dont le goulot émergeait du fatras de papiers qui recouvrait son bureau.

— Sers-nous un verre et raconte-moi.

Une heure plus tard, j'avais enregistré quinze secondes de commentaires sur l'affaire pour le Goopeal de 13 heures et quittais le bureau. Je suis passée à l'hôpital voir le vieux avant de rentrer me coucher. J'y vais tous les jours. Ce n'est pas que je l'aime, mais c'est la seule famille qui me reste. Ma mère s'est fait la malle le jour de mes deux ans, je n'ai jamais connu mes grands-parents, je n'ai pas de cousins, de cousines… pas de réunions de famille. Les copains me disent que j'ai de la chance, qu'une famille coûte cher et qu'à la bourse des emmerdes, c'est une valeur refuge. Peut-être bien. N'empêche, je n'ai pas envie de voir le vieux mourir.

C'est toujours un sale moment, la visite. Le découvrir comme ça, avec quarante kilos de barbaque en moins, les os des mains presque visibles sous une peau fine et translucide, les cheveux filasse et épars et des petits paquets de bave blanche et sèche à la commissure des lèvres, ce n'est pas Disney. Oh non !

Je ne sais pas exactement ce qu'il a. Je n'ai pas les moyens de payer les honoraires d'un spécialiste... tout ce que je sais, c'est qu'il lui faut une greffe de rein dans les trois mois, sans cela il y passe. Vu le prix des reins, je passe le voir tous les jours pour ne rien perdre de ses derniers instants.

Il est allongé, il ne parle pas (je crois qu'il n'en a plus la force), il regarde le plafond et serre ma main dans la sienne. Je lui dis trois mots et puis je reste là à écouter la télévision accrochée sur son bras télescopique qui déroule ses programmes. Depuis qu'il est entré dans cette chambre, il n'a jamais changé de canal. À croire qu'il ne l'entend même pas. Une fois, au début, quand nous avons appris que c'était grave, il m'a simplement dit : « Tu as été une bonne petite. » J'avais eu envie de chialer.

Transcript d'écoute 116/52
FYEO : Romitz OSPD / Bao-Belenguer S7

Appel : 879 542 892 112
Recevant : 547 896 621 555

11 h 57
**Recevant :** Comment est-il ?
**Appel :** Il est à point… Je pense qu'il ne fera aucune difficulté. De toute façon, il n'a pas le choix. Soit il coopère, soit il part pour dix ans à Huan Gia. Et je ne crois pas que le petit père Baodang soit capable de supporter un tel traitement.
**R :** Pas de nom, s'il vous plaît.
**A :** Oh, arrêtez avec votre stress. La ligne est sécurisée.
**R :** Pas de nom.
**A :** D'accord… Au fait, je n'ai toujours pas reçu les fonds.
**R :** Je m'en occupe.
**A :** Ne traînez pas trop… leur déposition a lieu dans deux jours. Et s'ils n'ont pas reçu l'argent, ils sont capables…
**R :** Je vous ai dit que je m'en occupais. Contentez-vous de faire en sorte qu'il soit blanchi…
**A :** Ne vous inquiétez pas, je vous dis.
**R :** Et pour notre ami à Huan Gia ?
**A :** Yen Fat !? Il n'a toujours rien compris. Il harcèle Miron pour tenter de savoir qui l'a balancé… ce qui me fait le plus rire, c'est d'imaginer sa tronche s'il l'appre-

nait. Je crois qu'il comprendrait encore moins ce qui lui arrive.
**R :** Il ne doit jamais apprendre notre implication.
**A :** Aucune inquiétude à avoir. De toute façon, Mentor a mis en place un petit comité d'accueil. Nous sommes toujours d'accord sur le traitement ?
**R :** Tout à fait. Cela doit être brutal, mais non létal.
**A :** J'aime bien votre sens de la formule.
**R :** N'oubliez pas de me communiquer les numéros d'écrous des exécutants.
**A :** On les libère quand ?
**R :** Quand elle l'aura vu et qu'il aura récité sa leçon. Pas avant.
**A :** D'accord.
**R :** Rappelez-moi pour me faire votre rapport sur cette partie de l'opération.
**A :** Vous aurez tous les détails.
12 h

*à prendre sur le budget affaires sociales*
*JQ ->AL*

# 2

On accède au quatre-vingt-unième étage du *Zamiatine* par un ascenseur spécial gardé jour et nuit par deux molosses à lunettes noires, des anciens de la Street Fight League et je défie quiconque de leur manquer de respect. Un passage dans la Street Fight ça vaut tous les stages commandos de la terre.

Le plus grand des deux, Gregor, je le connais un peu. À mes débuts, pour m'aguerrir, on m'avait collée en arpète d'un vieux routier du sport qui m'avait traînée à tous les matchs, tous les entraînements et camps d'été de la Street Fight. À l'époque, Gregor faisait partie des jeunes qui promettaient. Un mètre quatre-vingt-dix-huit, cent-trente-sept kilos, quatorze pour cent de masse graisseuse et une détente verticale de cinquante-trois centimètres. Une boule de muscles et de nerfs montée sur de l'énergie pure.

Comme on débutait lui et moi, nous avions un peu sympathisé. Il arrivait de Tchétchénie et, comparé à son enfance, la Street Fight, c'était un bac à sable. Juste pour vous dire le genre du gus.

Il aurait pu faire une très belle carrière si Osseman Drive, le grand champion, ne lui avait pas broyé le larynx un soir de huitième de finale. Depuis, il avait du mal à parler... il ne faisait plus que chuchoter et encore, pas des masses. Impossible de faire son chemin dans la SF si on n'est pas capable de chambrer l'adversaire au Goopeal. N'empêche, je lui faisais toujours un signe de la main quand je le croisais et il me renvoyait toujours un hochement de tête. Il m'était même arrivé de lui parler des matchs quand l'envie de parier me prenait. Il était de bon conseil. Je lui donnais sa part.

Comme tout le monde, je connaissais l'appartement de Quinte. Par les magazines bien sûr et par les éclairs qu'il envoyait partout sur la ville les jours de grand bleu quand le soleil rebondissait dessus. Comme un phare au-dessus de nous qui brillait par éclats. C'est une chose de regarder des photos ou de lever les yeux vers le haut du building... ça fait travailler l'imagination et le rêve. Mais je vous assure qu'il faut une sacrée bonne dose d'imagination pour approcher le rêve que s'est construit Quinte sur le toit du *Zamiatine*.

J'étais passée chez Hubert Jee, le coiffeur de Télé7, pour me refaire une tête après ma nuit sur les docks. Jee est un homme qui aime les femmes sans rien en attendre... on peut lui faire confiance.

– J'aurais besoin d'une robe, Jee. Une très belle qui en jette un maximum.

– Hum... tu n'as pas d'émission au planning, ma chérie.

– Ce n'est pas pour l'antenne, Jee, c'est pour une soirée.

Il a cessé de filer son peigne dans mes cheveux.

– Alors, c'est non, Ashelle. Tu connais la règle aussi bien que moi : les vêtements de l'atelier sont pour l'antenne et rien que pour l'antenne. Si les journalistes commencent à les sortir pour leur vie privée, c'en sera fini de ma collection. Je vous connais, vous autres, vous ne faites attention à rien.

– Allons Jee, c'est important pour moi. Tu me connais, tu sais comment je m'habille...

– Tu ne t'habilles pas, ma chérie. Tu portes des tissus... C'est une nuance d'importance.

– Justement. Ce soir, j'ai besoin d'être belle et de faire de l'effet.

– C'est une soirée importante ?

– Pas qu'un peu. Je suis invitée à la soirée de la finale au *Zamiatine*.

– Chez Quinte !!!

– Invitée en personne, Jee, regarde le carton.

Il a pris le carton et l'a retourné plusieurs fois dans ses doigts.

— Tu es en train de devenir une grande, ma chérie.

— Pour ma robe, alors ?

— Viens avec moi.

Lorsque la cabine de l'ascenseur arrive au dernier étage du *Zamiatine* et s'immobilise au milieu des huit cent trente-deux mètres carrés de l'appartement de Quinte, on ne peut s'empêcher d'avoir un sursaut. À perte de vue, jusqu'à l'horizon des montagnes du Belvédère, on voit les lumières de Ouang Schock. Le clignotement des enseignes lumineuses, les éclats des bureaux qui s'éteignent, les serpents rouges des voitures sur les Circles... un appartement entièrement de verre. Les murs, les portes, les meubles... un immense diamant technologique. Une féérie d'espace. D'un simple coup d'œil, on découvre Ouang sur trois cent soixante degrés et, en surimpression dans ce panorama urbain extraordinaire, les dos des femmes blondes en robes longues, les cravates des invités, les vestes blanches des serveurs jaunes qui passent de pièce en pièce un plateau d'argent à la main. Parfois, dans l'épaisseur des cloisons de verre, on voit apparaître l'image d'un tableau de maître, des images de Télé7, des paysages de montagne ou de mer. Parfois aussi quelques individus entrent dans une pièce dont les quatre cloisons de verre s'obscurcissent subitement avant que les portes ne se verrouillent automatiquement... la transparence a ses limites.

Rien que pour ça, l'invitation valait le déplacement.

Je suis restée là à regarder le spectacle pendant trois, quatre minutes peut-être avant de retrouver le désir de bouger. Comme si l'appartement de verre m'avait anesthésiée de sa splendeur.

Un serveur est passé devant moi et j'ai attrapé un verre d'eau pétillante. Je n'étais pas là pour regarder, mais pour faire progresser ma carrière... alors comme tous les autres, j'ai pris un air blasé et j'ai commencé à déambuler d'un espace à l'autre en me laissant admirer par les hommes et jalouser par les femmes. Jee m'avait habillée d'une robe pourpre qui s'ouvrait sur le dos et tombait sur mes pieds. Le tissu réagissait à la chaleur et je rayonnais de rouge ou de sombre suivant les moments. Un vrai mystère de robe.

Il y avait du beau monde chez Quinte. Des patrons de casinos bien sûr, dont Maurice Le Drian du Gran Slam, Hueng Tri Nock du Big Wall, mais aussi tout le board du Grand Conseil des Annonceurs (GCA), Vittorio Calabrese ancien président de la Chambre des Industriels (CDI) et Chimène Tang patronne de la Ligue Sportive, Esther Romitz la patronne de l'OSPD, des hommes d'affaires, des artistes hommes et femmes, des patrons de presse... tout ce que Ouang Schock compte de personnalités importantes. Je peux vous assurer qu'à moins d'une très très bonne raison, personne n'aurait osé répondre négativement à l'invitation. D'abord, parce qu'il ne fait pas bon refuser quoi que ce soit à Quinte, et ensuite, parce qu'une fête chez Quinte est l'endroit où il faut être.

Je pensais à cela en découvrant Assan Aly Akremy dans une des pièces de l'appartement. Depuis près de quinze ans maintenant, Assan Aly Akremy est un des plus éminents représentants de la CDI. Il en a été le secrétaire puis le CEO. Aujourd'hui, il dirige le Comité des sciences appliquées au sein de la CDI. À l'époque de l'amendement Quinte rendant la télévision obligatoire dans tous les lieux publics, Akremy s'y était opposé avec violence. C'est aussi le porte-parole et fer de lance de la CDI pour les prochaines élections. On chuchote de plus en plus fort qu'avec lui, la CDI pourrait bien remporter la présidence du parlement et enfin détrôner Jonah Quinte qui le dirige d'une main de maître depuis presque quinze ans.

C'est un grand type rond et bedonnant d'origine indou qui sous des allures de poussah tranquille est un terrible guerrier. Le seul contre-pouvoir de Ouang Schock pourrais-je dire. Pour lui, l'intérêt supérieur de Ouang passe par le bien-être et la défense de ses habitants avant l'augmentation de l'indice de rentabilité de la ville. Un bien curieux credo pour un bled comme le nôtre. On ne peut pas dire qu'il ait bonne presse à Télé7... et dans aucun autre canal pour être franche. Mais il bénéficie du soutien de la population et il est surtout P.D.G. de Amina Funds Foods, la plus grosse société de nourriture synthétique de l'hémisphère sud. De quoi le rendre indéboulonnable de son siège à la Chambre.

Malgré le violent conflit qui opposait les deux hommes, il était là et faisait bonne figure.

Dans le grand salon, la pièce centrale de l'appartement, se tenait Quinte dans un costume gris souris. Tout autour de lui, il n'y avait que des costumes sombres et des cravates rouges sur chemise blanche ou bleue pour les plus audacieux, des tailleurs noirs sur chemisiers blancs avec la jupe juste au-dessus du genou et des talons aiguilles noirs de dix centimètres. Tous avec le cheveu gominé, le brushing impeccable, les dents bien blanches. Des hommes et des femmes, jeunes pour la plupart, dont les bureaux se trouvaient entre le vingt-sixième et le vingt-huitième étage du Quinte Plazza. En second cercle, par petits groupes, des hommes et des femmes un peu moins jeunes et un peu plus bedonnants qui eux squattaient les vingt-neuvième et trentième étages... Vu l'étage, ils avaient moins besoin de faire de la lèche. Parfois même, Quinte se déplaçait jusqu'à eux pour les saluer ou leur dire un mot.

Dans cet amas de futurs ou déjà millionnaires des médias, j'ai repéré Braban Mentor, l'homme de main de Quinte. Un tueur à gages, dit la rumeur. C'est un type d'une quarantaine d'années, fin, mais dégageant une impression de force brutale très étrange. Un Calabrais, je crois. On ne peut pas le rater, car il porte toujours un costume croisé noir finement rayé de gris, une chemise blanche et une cravate écossaise. Été comme hiver, de jour comme de nuit, il ne change jamais. Tant qu'on le voit avec Quinte, ça va. Les choses se compliquent, paraît-il, lorsqu'on le rencontre seul. Alors, cela peut devenir dangereux.

Je le connais un peu, car il est très lié avec le commissaire Cassidy. Des amis d'enfance, je crois.

J'allais tourner les talons quand Robert Wang Cheun May, le directeur des programmes de Télé7, m'a attrapée par le bras.

— Bonsoir, Mademoiselle Vren.

— Bonsoir, Monsieur.

— Pas trop impressionnée par la foule, mon petit ?

C'est un homme proche de la retraite, avec de beaux cheveux blancs. Pendant des années, à l'époque de mes débuts, je l'ai trouvé craintif et sans couilles. Et puis le temps aidant, avec l'expérience et le décryptage de la vie à Ouang, j'ai fini par comprendre qu'il fait juste un petit peu plus que ce qu'il est autorisé à faire et que ce petit peu nécessite un immense courage. Quand je dis autorisé, n'allez pas croire qu'il reçoit des consignes de Quinte, non. Il est juste un rouage d'une grande et terrifiante machine appelée Ouang Schock et dans laquelle certaines choses sont autorisées et d'autres pas, sans que personne ne sache exactement le pourquoi du comment.

Je l'apprécie également, car il n'a jamais essayé de coucher avec moi, ni ne s'est laissé aller à des plaisanteries débiles que les hommes de pouvoir à petit sexe aiment faire pour se convaincre d'être des séducteurs. D'accord il m'appelle mon petit... mais je supportais.

– Je tenais à vous dire que je n'ai rien à voir avec votre invitation. Ça vient directement du secrétariat de Quinte.

– Pourquoi me dites-vous ça, Monsieur ?

– Simplement pour vous prévenir. Cette invitation est une très bonne chose pour votre carrière, mais c'est aussi un grand danger pour votre vie privée.

– Danger ! N'est-ce pas un peu fort comme terme ?

– Absolument pas. Approcher du soleil agrandit l'ombre dans votre dos... Et tous ceux qui s'y trouvent vous jalousent. Jusqu'à aujourd'hui, votre ombre était moyenne... prometteuse peut-être, mais moyenne. Ce soir, elle vient de s'élargir sérieusement et nombreux sont ceux de vos amis qui s'en retrouvent couverts. Il va vous falloir apprendre à gérer cela.

— Selon vous, je ne devrais pas me réjouir d'être ici.

— Si, si, réjouissez-vous, profitez de cet instant. Mais ne soyez pas dupe de votre bonheur. Il ne fait pas plaisir à tout le monde.

— Je pense que je serai capable de gérer cela.

— Je n'en doute pas, mais faites quand même bien attention. Je vais vous paraître méchant alors que je ne cherche qu'à vous protéger... ne vous leurrez pas, Mademoiselle Vren, ce ne sont pas vos mérites qui vous hissent vers le soleil. Ne l'oubliez jamais. On a vu des talents extraordinaires ne jamais dépasser le rebord du caniveau. Toute ascension est le fruit de la volonté d'un prince. Et le prix à payer pour cette ascension est élevé.

— Vous voulez parler de compromissions ?

— Des compromissions ? Non, je parle de choix. Vous allez être amenée à en faire. Un grand nombre d'entre eux ne vous coûteront pas cher, mais quelques-uns, les plus importants, transformeront radicalement votre vie et votre façon de vous regarder.

Il avait un air presque triste en me parlant. Comme s'il voulait me mettre en garde tout en sachant que cela ne servait à rien, car, malgré tous ses conseils, je serais toujours seule face à ma propre vie.

– À vous écouter, Monsieur, j'ai presque envie de poser mon verre et de partir de cette soirée.

Il a eu un petit sourire en coin.

– Ce serait une erreur de votre part, Mademoiselle Vren… je vous dis cela simplement parce que je vous aime bien.

– Puis-je vous demander quelque chose, Monsieur ?

– Je vous écoute.

D'un geste de ma main qui tenait le verre, je lui ai désigné Assan Aly Akremy.

– Et lui, là-bas, croyez-vous que sa présence ici soit le fait d'un choix ? Et de quel type de choix ?

– Bonne question, Mademoiselle. Lorsque vous aurez la réponse, cela voudra dire que vous avez été amenée à en faire un de poids.

J'allais lui demander de cesser de parler par sous-entendus quand l'intensité lumineuse des pièces a commencé de chuter doucement, mais sûrement, jusqu'à plonger l'appartement dans une douce pénombre. Cette semi-obscurité a fait ressortir davantage les lumières de la ville qui nous entourait. Sur les murs de verre sont apparues des images du Grandslam… C'était l'heure du combat.

# 3

*« Hellen Morwan de Télé7 en direct du Grandslam de Ouang Schock en compagnie de JP senior pour la finale mondiale du championnat de Street Fight. Bonsoir, JP.*

*– Bonsoir, Hellen, et bonsoir à nos téléspectateurs de Télé7 et à tous les amoureux de sport. Je crois qu'on ne pouvait pas rêver plus belle finale ce soir, Hellen ?*

*– Vous avez raison, JP. Ce Contest entre Osseman Drive et Five Q Rock est l'affiche que tous les amoureux de la Street Fight League attendaient avec impatience. Mais la question que tout le monde se pose JP est : Ce Contest tiendra-t-il toutes ses promesses ?*

*– Assurément oui, Hellen. D'abord, parce que nous allons assister au combat des générations. Osseman Drive avec ses huit titres de champion sur les douze dernières années est sur la fin de sa carrière...*

*– Vous voulez dire qu'il est fini ?*

*— Holà, Hellen, ne me faites pas dire ce que je n'ai pas dit. Osseman est toujours un champion d'exception. Mais l'on est en droit de se demander comment ses trente-deux ans vont résister à la fougue, à la brutalité, à la violence des dix-huit ans de Five Q qui, je vous le rappelle, a gagné tous ses Contest par K.-O.*

*— Il a aussi tué deux de ses adversaires...*

*— C'est la dure loi du sport, Hellen, et tous ceux qui pénètrent dans le cercle d'acier connaissent les risques. Il ne faut pas faire de mauvais procès à Five Q.*

*— Je ne me permettrais pas cela, JP. Néanmoins, certains fighters l'accusent de chercher systématiquement le coup fatal au détriment de la noblesse du sport.*

*— Il est clair que Five Q cherche avant tout à briser son adversaire pour remporter une victoire rapide. Et c'est là un des autres aspects passionnants de la rencontre de ce soir : la confrontation de deux styles. La finesse et la technique de l'artiste Osseman face à la déferlante brutalité de Five Q.*

*— Dernier point et de taille JP, le montant des paris sur le match de ce soir.*

*— Waouh Hellen, les chiffres donnent le tournis. Un nouveau record dans l'histoire pourtant riche en démesure de la Street Fight League : deux milliards six cent vingt-cinq millions de* sterlins *pariés sur la finale.*

*– Exceptionnel, JP. C'est la preuve pour ceux qui en doutaient encore de l'intérêt du public pour le sport et les grandes émotions qu'ils procurent.*

*– L'audience le prouve également, Hellen. D'après les premières estimations, le Contest est suivi par neuf cents millions de téléspectateurs dans quatre-vingt-sept pays. Un formidable succès pour la Street Fight League...*

*– Et pour Télé7 qui diffuse le Contest en exclusivité. »*

L'Arena III, la grande salle du Grandslam était noire de monde. Le matin même, des avions du monde entier étaient venus vomir les amateurs fortunés dans la ville. La finale était vraiment l'événement sportif de l'année et de fait, l'événement mondain de la saison. Pour une starlette ou un chanteur à la mode, ne pas être à l'Arena III était une faute professionnelle.

Les journalistes de Télé7 cadraient d'ailleurs tous les visages célèbres ou connus et dehors, sur l'immense terre-plein du casino, la foule des fans hurlait à la mort à chaque apparition d'une idole cathodique sur les écrans géants.

Dans l'appartement, par contre, le plus grand calme régnait. Devant les écrans confondus des parois de verre, des groupes se formaient et les serveurs déplaçaient les fauteuils et les chaises pour que chacun puisse s'asseoir.

Sans me dire un seul mot, Robert me poussa vers un groupe d'hommes en costumes sombres et cravates rouges et m'assit d'autorité à côté d'un bel homme aux cheveux gominés, qui sentait bon. Il se leva à mon arrivée pour ne se rasseoir qu'une fois mon noble postérieur posé sur le coussin rouge de mon siège.

Il avait de longues et belles mains aux ongles polis. Son costume l'épousait tant et mieux que j'eus un instant l'impression qu'un tailleur le lui avait cousu à même le corps. Jusqu'à ses chaussures fines et noires dont on peinait à détailler les coutures. Il semblait n'avoir aucune aspérité physique, un peu comme une peau de serpent.

Nous étions assis au dernier rang de la petite vingtaine de personnes qui se trouvaient devant l'écran du petit salon. Je cherchais Robert Cheun May du regard, mais ne le vis pas.

— Vous vous intéressez au sport, Mademoiselle Vren ?

Il connaissait mon nom.

— Non... mais les paris sur le sport m'intéressent par contre.

— Vous avez joué gros ?

— Pas mal...

— Vous avez une tête à avoir parié votre chemise sur Osseman.

Il avait raison.

— Ah !? Et pourquoi cela ?

– Quelque chose de trop jeune dans votre regard pour ne pas être attirée par les valeurs sûres.

Crétin.

– Et vous, pour qui avez-vous parié ?

– Devinez.

Je l'ai regardé droit dans les yeux en faisant mine de me concentrer.

– Vous n'avez pas parié. Votre regard est courbe et prudent.

– Courbe et prudent ?

– Oh, ne le prenez pas mal, certaines femmes aiment les hommes qui ont horreur du danger.

– Vraiment ?

– Oui, ça les rassure de savoir qu'elles peuvent s'asseoir à côté d'un inconnu sans courir le moindre risque.

Pan dans les dents, mon petit bonhomme... pour mon regard trop jeune.

Il a souri avec un grand naturel ; visiblement, mon ironie glissait sur son costume comme une goutte d'eau sur la fourrure d'une loutre.

– Les amateurs de paris prennent le risque de perdre, car c'est la seule chose qui les fasse vibrer, Mademoiselle Vren... d'ailleurs, ils se moquent de gagner. Le fruit de leur victoire, c'est d'avoir défié et vaincu la défaite.

Je ne lui ai pas répondu.

— La défaite est une étrangère que je ne tiens pas à connaître, Mademoiselle. Je vous laisse ce frisson-là et me contente de jouir de la victoire.

Devant tant de prétention, j'avais envie de me lever et de rejoindre un autre groupe un peu plus loin. Mais il a posé sa main sur la mienne.

— Je m'appelle Alexandre Lautre. Je dirige une société du groupe de Monsieur Quinte, l'Ataraman Karzaï. C'est moi qui vous ai envoyé l'invitation. J'ai quelque chose à vous dire... verriez-vous un inconvénient à m'accompagner dans un endroit plus discret ?

Il a eu un nouveau sourire et a continué.

— Avec moi, vous ne courez aucun risque...

Avant que j'aie eu le temps de répondre, il s'est levé et m'a entraînée avec lui jusqu'à la porte de l'ascenseur où un serveur nous attendait avec nos manteaux déjà préparés. Ce petit détail m'a donné la chair de poule... Sans prendre le temps de les enfiler, nous sommes descendus d'un étage. Là, il n'y avait plus de cloisons de verre, plus de jolies femmes en robes du soir et d'hommes en costumes sombres. Simplement un long couloir assez large sur lequel donnaient de grandes portes en bois.

Alexandre Lautre ouvrit l'une d'elles et s'effaça pour me laisser passer.

J'entrais dans une vaste pièce à épaisse moquette crème, meublée d'un bureau, de deux fauteuils et d'un coin salon avec table basse, canapés et tabourets de cuir carrés. L'ensemble de la pièce était plongé dans une semi-obscurité avec comme seul îlot de lumière un dôme jaune qui tombait d'une lampe sur pied plantée près du canapé.

Sur le canapé : Jonah Quinte.

Sans se lever, il nous salua de la tête et m'invita de la main à m'asseoir.

— Merci Lautre. Vous pouvez nous laisser. Je vous appellerai lorsque nous aurons besoin de vous.

— Très bien, Monsieur.

Et il referma la porte.

De l'accoudoir droit du canapé sortit en silence un écran plat sur lequel étaient diffusés des extraits de l'ensemble de mes reportages depuis mon entrée à Télé7. Je regardais les images puis la tête de Quinte qui ne quittait pas l'écran du regard. Après quelques minutes d'images, ma photo apparut à l'écran ainsi qu'une fiche de renseignements : mon âge, ma famille, mon passé, mes antécédents dans l'entreprise, mon numéro matricule, mon salaire, mes primes... toute ma vie à Télé7.

Comme je ne comprenais pas ce que Quinte attendait de moi, je suis restée silencieuse. Il ne faut jamais attaquer le premier avec son patron. Je ne le regardais même pas, je restais à contempler l'écran.

Et puis, dans la petite obscurité du bureau, la voix de Jonah Quinte s'est élevée.

— J'aime votre capacité à mettre en lumière ce que certains aimeraient conserver dans l'obscurité, Mademoiselle Vren. Vos enquêtes ont toutes ce même point commun. Une plongée en lumière dans le marigot du crime.

— Merci, Monsieur.

— Ne me remerciez pas, vous méritez ce compliment. Vous savez donner au public le frisson qu'il réclame sans jamais l'inquiéter. C'est un art rare. Vous êtes une bonne journaliste et une bonne enquêtrice.

Je ne répondis rien à cette crème sur mon ego. Il laissa passer un silence puis se retourna pour me regarder de face.

— Que savez-vous que vous n'avez pas dit dans vos reportages au sujet de Yen Fat, Vren ?

J'ai été surprise qu'il me parle de mon dernier reportage. Et encore plus qu'il me demande des renseignements supplémentaires. N'avait-il pas accès à tous les rushs ?

— Il y a beaucoup de choses qu'on ne peut mettre ni en images ni en commentaires, Monsieur... je ne vous l'apprends pas. Maintenant, je ne sais pas par quoi commencer pour répondre à votre question.

— Pour qui travaillait Yen Fat, Vren ?

— Pour lui-même.

Il frappa violemment l'accoudoir du plat de la main.

– Non ! Yen Fat avait des complices, des acheteurs, des financiers, des hommes à qui il rendait des comptes. Quels intermédiaires lui achetaient les fœtus ? Quels laboratoires se fournissaient chez lui ? Yen Fat est un minable gangster, Vren. Violent, rapace, implacable, mais certainement incapable de monter une affaire d'une telle envergure. Alors, je vous le redemande : pour qui travaillait-il ?

– Je ne sais pas, Monsieur Quinte. La rédaction en chef n'a pas tenu à ce que nous développions cette partie de l'affaire... en termes d'audience... et de toute façon, Fat n'a pas ouvert la bouche sur ce sujet.

De la main, il me fit signe de me taire.

– C'est bon, c'est bon... Personnellement, pensez-vous qu'il travaillait seul ?

– Non. Yen Fat avait forcément des commanditaires.

– Pourriez-vous les trouver et les dénoncer à l'antenne ?

J'ai pris le temps de peser ma réponse. À Ouang Schock, il ne fait pas bon mettre son nez dans des affaires où l'argent coule à flots. Surtout si cet argent n'est pas très propre.

– Si je suis soutenue et protégée par la chaîne, je peux relancer mon enquête. Mais j'aurai besoin de moyens, de temps et de liberté.

– Vous les avez, Vren.

— Puis-je vous poser une question à mon tour, Monsieur ?

— Je vous écoute.

— Pourquoi voulez-vous connaître le fin mot de cette histoire ? Les dernières audiences montrent qu'elle n'intéresse plus les foules.

Ses lèvres fines ont presque disparu en s'étirant en un petit sourire.

— L'allongement de la durée de la vie, Vren. Voilà pourquoi.

Je l'ai regardé avec des yeux ronds.

— Au début du vingtième siècle, Mademoiselle, la durée moyenne de la vie sur terre était de trente-cinq ans. Aujourd'hui, elle est de soixante. Dans les pays développés comme le nôtre entre les années 1970 et 2000, la durée de vie a augmenté de treize ans. 50 ans plus tard, c'est-à-dire aujourd'hui, dans ces mêmes pays, la durée de vie moyenne d'un individu est de quatre-vingt-quatorze ans. Combien de temps vivrons-nous demain ? Cent ans ? Cent cinquante ans ? On peut même envisager l'immortalité ! Pourquoi pas ? Mais c'est un autre débat. Et de toute façon, cela n'a aucune importance. Car le problème n'est pas là. Le problème, Mademoiselle Vren, est que l'allongement de la durée de vie change radicalement notre façon de prendre en compte l'industrie des soins médicaux. Il ne s'agit plus de fournir de l'aspirine ou d'opérer une hernie discale, non ! Il s'agit de donner aux individus la possibilité de traverser leur siècle d'existence dans les meilleures conditions. Pensez-vous vraiment que votre foie a une durée de vie de cent ans ? Vos poumons aspireront-ils de l'oxygène pendant des décennies sans jamais se gripper ? Ma prostate me laissera-t-elle tranquille *ad vitam æternam* ? Non, bien sûr. Le grand défi de la médecine de demain... et même d'aujourd'hui, c'est la greffe d'organe. Plus nous vivrons vieux, plus nous serons amenés à changer certaines « pièces » de notre organisme. Rien n'est inusable, et la chair humaine encore moins que le reste. Comment obtient-on un organe aujourd'hui ? On attend la mort d'un donneur. Et qui est donneur ? Celui qui en a fait le choix... c'est-à-dire une infime minorité de la population. Dans les années à venir, le gouvernement dont je fais partie devra mettre en place un cadre juridique et industriel pour être en mesure de produire des organes en quantité suffisante pour répondre à la légitime demande de nos concitoyens... Mais vous comprenez bien que cela ne peut pas se faire en claquant des doigts. Nous avons d'ailleurs créé une commission de réflexion sur le sujet : les problèmes moraux liés à ces questions sont tels qu'on ne peut pas brusquer les choses. Il s'agit après tout de la vie, de l'intégrité des corps, de la nature même de ce qui nous crée. Il faut agir avec lenteur et surtout avec beaucoup de précautions. Mais pendant ce temps, un certain nombre d'individus profite de la carence législative sur le sujet pour monter des trafics extrêmement lucratifs... votre affaire Yen Fat en est un exemple. Ces mêmes individus voient d'un très mauvais œil nos travaux préparatoires et sont prêts à tout pour les faire capoter. Il y a tellement d'argent en jeu...

Il s'est tu. Au bout de quelques secondes, comme il ne parlait toujours pas, je me suis permis de l'interroger.

– Trouver les commanditaires de Yen Fat ne réglera pas le problème, Monsieur. Quand on coupe une tête de l'hydre, il en repousse une autre ailleurs.

– Il y a des têtes plus importantes que d'autres, Vren, et ce sont celles-là que je vous demande de trouver. Pour ne rien vous cacher, je pense que certains membres du parlement sont financés par cette criminalité odieuse et ont pour mission de retarder, voire d'empêcher toute forme d'avancée sur le sujet.

Je pris la nouvelle sans moufter, mais au fond de moi, j'ai commencé à me dire que ce n'était pas un cadeau que l'on m'avait fait en m'invitant à cette soirée.

– Pourquoi ne pas faire appel à la police, Monsieur ?

Quinte eut un petit rire étouffé.

– Quand il y a autant d'argent en jeu, on ne peut faire confiance à personne. Et encore moins à des fonctionnaires mal payés. Il faut, pour tuer à tout jamais cette lèpre, le grand jour des médias. Une couverture télévisuelle totale. Trouvez les commanditaires de Yen Fat, remontez la piste jusqu'aux chefs de cette organisation, démasquez ceux qui touchent à cet argent infect, exposez au grand jour leurs noms, leurs vies, leurs familles... voilà ce que j'attends de vous, Vren. Si vous y arrivez, vous ne le regretterez pas.

— D'accord, Monsieur Quinte.

J'ai été surprise de m'entendre répondre, car je n'avais pas encore eu le temps de me décider. Mais il était trop tard et avant que j'aie pu me reprendre, Lautre entrait dans le bureau.

— Vous verrez avec Alexandre pour les détails et les moyens. C'est à lui que vous rendrez compte. Nous ne nous verrons plus avant le succès de votre mission.

Jonah Quinte s'est levé et a quitté la pièce sans me serrer la main. J'étais complètement sonnée, comme si j'avais subi une grêle de coups.

Alexandre Lautre me prit par le bras et me conduisit jusqu'à l'ascenseur. Il tenait à la main une clef USB et une enveloppe.

— Vous trouverez dans la clef quelques éléments qui vous aideront dans votre enquête. Il est bien évident que personne ne doit être au courant de votre travail. Nous nous sommes déjà arrangés avec votre bureau, Robert a été invité à prendre les dispositions nécessaires à votre remplacement pour les prochaines semaines.

— Et si j'ai besoin de vous joindre ?

— Vous ne devez pas nous joindre. Nous prendrons contact avec vous.

— Comment cela ?

— Ne vous inquiétez pas. Tout est sur la clef.

J'avais envie de lui poser un grand nombre de questions, mais l'ascenseur arrivait au rez-de-chaussée. Il me poussa légèrement dehors.

— Vous devriez ouvrir l'enveloppe.

Obéissant à son injonction, je déchirais le haut de l'enveloppe et découvrais un chèque à mon nom d'un montant de trois cent vingt-sept mille *sterlins*. Plus de trois ans de salaire. Je levais un regard étonné sur Lautre alors que les portes se refermaient.

— Votre prudence a payé, Mademoiselle Vren. Osseman a remporté le titre au deuxième round par arrêt de l'arbitre. Félicitations.

Les portes d'acier brossé se sont fermées et je me suis retrouvée seule dans le grand hall du Zamiatine. Le chèque avait été émis par la BetandWin SC, la grande société de pari de Ouang Schock.

D'habitude, elle ne payait pas aussi vite.

Il y avait également sa carte avec son numéro d'e-Me : 547 896 621 555.

http://www.freewiki.co.os/wiki/ouangschock

**OUANG SCHOCK**

Cet article concerne la Cité-État asiatique. Pour les autres significations, voir Ouang Scock (homonymie)

Cet article est en cours de réalisation.

Notifiez les erreurs / Apportez votre contribution

Ouang Schock est une Cité-État du sud-ouest de la province chinoise du Yunnan bâtie sur les anciennes frontières du fief du dernier seigneur de la guerre du pays en 1927, le général Yun San-Tse.

Entièrement dédiée au jeu, la cité compte aujourd'hui 27 623 458 habitants, dont 92 % d'origines étrangères à la région.

Chaque année, Ouang Schock accueille soixante-treize millions de touristes ce qui la place au deuxième rang des destinations touristiques mondiales.

Protégée par la convention 112 du traité du 28 mars 1949 entre le parti communiste chinois et les autorités de la Cité-État, Ouang Schock n'est pas reconnue comme un État par l'Organisation des Nations Unies. Son mode de gouvernement est « le parlementarisme autoritaire ».

## Géographie

Ouang Schock a une superficie de 1 381 km$^2$ et une densité de population de 20 000 habitants au km$^2$.

Elle possède trois frontières : au nord avec la Chine, à l'est avec le Laos et à l'ouest avec la Birmanie.

Située sur de hauts plateaux calcaires, Ouang Schock a été construite sur les rives du fleuve Lancang (Mékong).

Le point le plus bas est à 816 mètres, le plus haut à 1 176 mètres.

Le climat est chaud et humide avec deux saisons des pluies.

À l'origine, la Cité-État était exclusivement agricole, mais le développement urbain (qui couvre aujourd'hui 92 % du territoire) a progressivement fait disparaître toute trace d'agriculture.

## Économie

La monnaie officielle est le sterlin dont le cours est indexé à celui de la Livre sterling.

La majeure partie des ressources économiques de Ouang Schock est liée au tourisme et à l'industrie du jeu. Il n'existe pas de données officielles précises sur le chiffre d'affaires de Ouang Schock. Les comptes trimestriels publiés par le parlement ne font état que des évolutions en pourcentages. Cependant, il est intéressant de lire l'article suivant (1).

Si la ville est surtout célèbre pour ses casinos, le potentiel industriel de la Cité-État ne doit pas pour autant être négligé. C'est à Ouang Schock que l'on trouve les plus grandes usines de composants informatiques ainsi que les laboratoires de recherche les plus riches en ce qui concerne les nanotechnologies et les biotechnologies.

Ouang Schock est la ville du monde possédant le plus grand nombre de casinos par habitants (1 pour 100 000).

L'industrie du spectacle est également très présente, avec trente-sept chaînes de télévision qui produisent chaque année six cent dix-sept mille heures de programmes vendus dans toute l'Asie, le Moyen-Orient et l'Inde.

Ouang Schock est également le pôle de compétence le plus actif de toute la zone Asie en ce qui concerne les MMORPG (multi massive online role playing game) et concentre 47 % du marché mondial de la création de jeux vidéo.

Les experts du BIEE, Bureau International d'Études Économiques, estiment que le niveau de vie des habitants serait équivalent à celui de la Principauté de Monaco.

La proximité géographique de la Cité-État avec le Laos, la Birmanie et la Chine en fait également une plaque tournante pour l'économie parallèle. Un rapport de la DEA place Ouang Schock au premier rang des villes transferts dans le trafic d'opium.

Un rapport d'enquête du Sénat américain dans l'affaire Vaclav Bout, désigne Ouang Schock comme le plus grand marché clandestin d'armes au monde.

La part de cette économie est estimée à 23 % du PIB.

# 4

Je pourrais me payer un appartement en ville ou une maison en périphérie, mais je préfère utiliser les Lockers Room. C'est plus pratique, et vu le temps que je passe dehors, je ne vois pas l'intérêt de me ruiner dans un chez-moi.

Ça fait quelques années que les Lockers sont apparus à Ouang. C'est un appartement sur dix-sept mètres carrés : un salon entrée, une chambre et une salle de bain, le tout en enfilade. Le ménage est toujours fait, les draps propres, du savon et des serviettes éponges dans la douche, une brosse à dents, une crème dépilatoire et un rasoir dans un gobelet en porcelaine, le frigo rempli, un four et un mur connecté dans chaque pièce. C'est moins cher qu'un hôtel et plus discret : on en trouve dans presque tous les immeubles de la ville. Il y en a rarement plus de deux par immeuble.

Au début, ils ont surtout été utilisés par les prostituées. Avec le temps, le prix des loyers et le rythme de vie en ville aidant, des gens comme moi ont commencé à les utiliser.

J'aime bien l'idée de ne jamais vivre plus d'une semaine dans le même quartier.

J'ai trouvé un Lockers libre du côté du Strand View. J'ai branché mon e-Me dans le boîtier de contrôle et me suis connectée sur Télé7. J'avais juste raté le générique du Round Midnight Goopeal, le grand journal de la nuit.

L'écran s'est ouvert sur les dernières secondes du combat. On voyait Five Q allongé sur le ventre avec le genou d'Osseman qui lui bloquait la nuque au sol tandis que de ses deux poings monstrueux, il lui ravageait le visage. Il y mettait tout le poids de son corps, le vieux Osseman, et ses coups partaient de l'épaule avant d'écraser le nez et les pommettes de Five Q qui ne réagissait même plus. J'ai compté sept coups avant que l'arbitre ne se jette sur lui pour stopper le massacre. Sept coups violents et terribles. On avait du mal à en entendre le bruit tant le public criait. Derrière les grilles de protection de la cage, on distinguait les visages hurlants des fans et les flash-lights des caméscopes qui filmaient en continu. En haut à droite de l'écran, un message clignotant annonçait qu'il y avait en ligne à minuit cent douze vidéos du combat sur You-sport.co.os. Je me suis promis d'y jeter un œil... ça avait dû être un beau combat vu la violence de la fin. J'étais bien contente que ce jeune con de Five Q ait été laminé par Osseman. L'instant d'après, un gros plan d'Osseman à l'écran.

*« – Si Five Q sait tirer les leçons de ce combat, il sera le prochain champion du monde. Il est plus fort que moi, plus rapide que moi et possède la meilleure technique qui soit.*

*– Peut-être, Osseman, mais c'est encore vous le champion. Malgré toutes ses qualités, vous avez la ceinture et Five Q est à l'hôpital.*

*– Aujourd'hui, c'était mon dernier combat. Et je me suis battu avec mon intelligence, pas avec ma force. C'est pour cela que j'ai gagné. Si Five Q apprend à utiliser son cerveau, il sera imbattable... sans cela...*

*– Vous voulez dire que vous prenez votre retraite ?*

*– C'était mon dernier combat.*

*– Ça, c'est du scoop et de la mise en scène... »*

Je n'ai pas écouté le reste du journal, j'étais trop abasourdie par la nouvelle de la retraite d'Osseman. J'avais l'impression de perdre une part de ma jeunesse. Ce type avait bercé les douze dernières années de mon existence, sa présence et son charisme en avaient fait un élément de mon entourage proche. Bien sûr, je ne le connaissais pas personnellement, mais il était si présent à l'antenne, qu'il se passait rarement une journée sans que je le voie.

Puis mon regard est tombé sur la clef USB de Lautre, posée sur la table. Je l'ai branchée à l'écran.

Le Goopeal a disparu, remplacé par un écran d'accueil noir avec au centre deux zones de saisies.

Montant du chèque / Étage de la rencontre.

J'ai donc tapé trois cent vingt-sept mille et quatre-vingts. L'Explorer s'est lancé et je me suis retrouvée sur un site dont l'adresse était : *About Blank*. Étrange.

À l'écran apparurent 7 dossiers : deux extraits des Vidéos Vigilants, deux autres vidéos sans titre et trois fichiers textes. Je me suis demandé ce que les Vidéos Vigilants venaient faire là-dedans ; alors, j'ai lancé la première.

Ces vidéos étaient apparues il y a quelques années, à la suite de la campagne d'un certain Émile Kustarzeckzy qui avait filmé de chez lui le ballet des prostituées et des clients qui l'empêchait de dormir. Avec sa caméra, il suivait discrètement les filles, filmait les ébats et surtout la plaque d'immatriculation de la voiture du client. Il avait tout mis en ligne sur un site dans lequel il expliquait que la police refusait d'intervenir malgré ses plaintes et qu'il espérait que ses vidéos l'obligeraient à résoudre le problème. Dans les mois qui suivirent, son site reçut des vidéos de tous les coins de la ville de citoyens mécontents de l'inaction de la police. Un an plus tard, Télé7 achetait les droits des Vidéos Vigilants ; depuis, c'est une émission à succès. Les gens se défoncent pour traquer les petits crimes de la vie de tous les jours et remporter le concours de la meilleure vidéo et les cinq mille *sterlins* de récompense hebdomadaire.

Ce que l'histoire ne dit pas, c'est que le père Kustarzeckzy n'était pas un citoyen comme les autres, mais un proxénète discret qui voulait se débarrasser de la concurrence. Le succès de ses vidéos ne lui a pas porté chance. Il dort maintenant au bloc trente-sept de Huan Gia. Mais son œuvre, elle, continue à courir la ville et les écrans.

La vidéo était extraite des rebuts des VV, ça se voyait au time code et à la mention « refus » en rouge qui coupait l'image en transparence dans la diagonale. La qualité n'était pas bonne. Beaucoup trop piquée et sombre à part un halo jaune au centre, là où un lampadaire diffusait sa lumière. Dans le halo se tenaient quatre ou cinq jeunes femmes. Des prostituées, peut-être. Soudain, une voiture sortie de nulle part arrivait et les yeux rouges de ses feux-stop irisaient l'image. Trois hommes en sortaient et chargeaient violemment une des filles dans la voiture. Le zoom de la caméra ne permettait pas de distinguer le numéro minéralogique, mais l'on pouvait bien voir le visage affolé de la jeune femme.

La vidéo s'arrêtait là.

Je lançais la seconde qui, dans un autre endroit de Ouang, proposait un autre enlèvement. La seule différence est qu'il s'agissait d'un SDF sous un pont et que la lumière était donnée par un brasero fabriqué dans un bidon d'huile grand cylindre.

Je ne voyais pas bien le rapport entre ma discussion avec Quinte et ces vidéos de mauvaise qualité. En quoi l'intervention de proxos sur une fille ou une rafle de SDF avaient-elles un lien avec Yen Fat et ses fœtus ?

Je lançais la troisième vidéo plus par dépit que par intérêt. Ce n'était pas une vidéo extraite des Vigilants.

Un square pourri avec une herbe miteuse et des sacs plastiques voletant sous les courants d'air. Allongé à moitié nu dans le square, le cadavre d'une jeune femme. La caméra fit un zoom sur son visage et l'image se figea. En surimpression, le visage de la femme enlevée dans la première vidéo apparut. Puis l'écran se divisa en deux et les visages furent grossis pour faciliter la comparaison. Des cercles verts apparurent sur différents points du visage. Ils montraient clairement qu'il s'agissait de la même femme.

La quatrième vidéo proposait le même spectacle avec le SDF.

Je ne comprenais toujours pas. Le seul intérêt de la chose était que plusieurs vigilants avaient, sans le vouloir, filmé le début d'un meurtre. Ça ne valait pas tripette en termes d'audience.

J'ouvris alors le premier fichier texte :

Repulse Production 128 Road Ring NWV 112 OS

NOTE RESTREINTE

Date : 25 février 2057

**Destinataire** :
Mme Hilda / Syntex Industry

**Copie** :
Mme Romitz / OSPD

**Expéditeur** :
Mlle Ouangzou / Repulse Production

**Objet** :
Résultats définitifs de l'outil Lock-Face-Video ©

À la suite de notre dernière réunion du 18 janvier, nous avons augmenté comme convenu le nombre de points de captage à 20 sur les visages et à 37 sur les silhouettes.
Les résultats obtenus sont de bien meilleure qualité et l'on peut afficher aujourd'hui un taux de réussite de l'ordre de 93 %.
Sur notre dernier test, le croisement des fichiers de l'OSPD avec le matériel vidéo fourni par Télé7 (programme Vidéo

Vigilants) a amené la mise en valeur de 112 (cent douze) individus recherchés.
Nous attendons maintenant l'autorisation de démarrage de la phase pilote sur le site du Deep Caban. Nous pensons effectivement que ce lieu de réunion des amateurs de musique alternative devrait nous permettre d'obtenir un bon échantillon naturel de notre cible test.
Pour conserver le temps de calcul sur une diffusion à 36 images secondes, nous avons dû procéder à l'ajout de deux CPU. Le coût supplémentaire lié à l'augmentation des points de captage est de l'ordre de 7 % par rapport au devis initial (CF note 817 du 16/06/2055).

Deuxième fichier texte :

RAPPORT D'INTERVENTION

District Nord
Diffusion interne

Le 18/12/2056
Chef de poste : Commandant Hester Wendell

Officier Scheung Yu
OSPD 113 / District Nord

N°/114-257-37
Le 17/12/2055, à 7 h 30, le central nous appelait sur un 114 dans le parc de Beylong. Arrivé sur place à 7 h 43 avec l'officier Muh.

Les deux agents de la patrouille N°56.NSW nous attendaient pour les premières constatations.
Le témoin, Mme Esmeralda Sanchez (née le 18/08/2007 à San Juan, Mexique, demeurant au 116 Inter Wasser SWW, appartement 1194, N° de permis de séjour 1 475 675 894 875 23, employée de bain au casino Watch Up) nous attendait également.
La victime était étendue sous une bâche de police dans le sens nord/est à cinquante-quatre mètres de l'entrée principale.
Le témoin l'a découverte en promenant son chien à 7 h 07.
Elle a appelé les secours de son e-Me (vérification en cours auprès de l'opérateur OSTélécom).
La victime est une femme de race blanche de type caucasien d'environ 20 ans mesurant 1 m 67.
Elle était nue sans aucun objet personnel.
Son corps présentait une raideur cadavérique laissant supposer un décès remontant à plusieurs heures voire plusieurs jours.
Nous avons pu constater un nombre important de cicatrices récentes à hauteur de la poitrine, du ventre et du dos au niveau des reins et des omoplates.
Ces cicatrices semblent être le résultat d'une intervention chirurgicale tant elles sont nettes et propres.
Les extrémités de ses doigts ont été coupées, ce qui rend toute tentative d'identification impossible.
Les deux agents de patrouille ont fouillé les alentours sans rien trouver. Ni traces, ni objets.
Nous avons effectué une enquête de voisinage dans les immeubles donnant sur le parc sans récolter le moindre témoignage.

Nous avons procédé à un relevé anthropométrique photographique de la victime et l'avons soumis à SIVAPRO sans résultats.
Le médecin légiste, le docteur Huong Truong, après un examen préliminaire nous a déclaré que la femme avait été vidée de ses organes les plus nobles. Nous attendons le rapport définitif avant de le joindre au dossier.

Troisième fichier texte :

Note Blanche à stricte diffusion interne

Lors du couplage de la base de données SIVAPRO au système Lock-Face-Video, il a été mis en avant un problème de rémanence d'information. Les images VV intégrées dans le système dans sa période de test n'avaient pas toutes disparu.
Lors du premier Boot le système a effectué le parallèle entre la victime 114-257 et la bande VV 116 ainsi que la victime 114-394 et la bande VV 117.
Pour la victime 114-257, le système a également sorti l'avis de disparition 516-789-66 du SIVAPRO.
Nous possédons donc à présent les images de son enlèvement sans pour autant que cela nous soit d'une quelconque utilité pour la suite de l'enquête.
Ci-joint les photos avec les points de captages comparatifs.

Les deux premières photos montraient le visage affolé de la jeune femme que j'avais vue sur la première vidéo et son visage blanc et immobile sur son lit d'acier à la morgue. Sans les points de captage, il aurait été impossible de faire le lien entre les deux visages.

Les deux autres établissaient le même parallèle entre le SDF et un nouveau cadavre.

Prévenus par Syntex, nous avons volontairement cette fois croisé les bases VV / SIVAPRO avec le Face-Lock.
L'outil a mis en avant 25 cas similaires. (Le système a également mis en avant 72 cas de cadavres retrouvés vidés de leurs organes sans que nous possédions pour autant une trace vidéo. Nous n'avons pu pour l'heure trouver une explication à cette anomalie)
Nous avons donc maintenant un nombre significatif de cas qui nécessitent sans doute l'ouverture d'une enquête.
J'attire votre attention sur la nécessité de garder cette enquête secrète. Nous ne devons pas générer un mouvement de panique dans la ville. La mise sur la place publique de tels faits aurait également un impact négatif sur le tourisme.

Le reste de la note avait été effacé.

Je revenais alors à l'écran d'accueil. Une nouvelle ligne était apparue :

*Soyez demain à 8 h au croisement San-Tse et Smith.*

# 5

*« GoopealNews7heuresavecRachelTwinnings. L'actualité du monde et de la nuit en trois minutes. Victoire et retraite pour Osseman Drive hier soir au Grandslam après un combat de quatorze minutes / À 20 h ce soir, les trois coupables du massacre du Hibou de Nuit seront exécutés conformément à leur condamnation du 8 juillet dernier. Vous pourrez suivre, en direct et en pay per view, leur exécution sur www.violentdeath7.co.os / Huitième jour de grève pour les employés de Clean-Up the World et premiers impacts sur la propreté à Ouang Schock. Les déchets ménagers stockés devant le centre de tri de Dream Island atteignent le seuil critique et la collecte ne sera plus assurée / Ouverture ce matin de la conférence bioéthique sous la haute autorité du Grand Conseil des Annonceurs. Monsieur Assan Aly Akremy, membre de la conférence en qualité de président d'Amina Funds Foods, s'est élevé contre le but même de cette conférence : « Nous comprenons tous ce que sous-tend cette conférence :*

*le clonage thérapeutique. Et en privatisant au seul profit du GCA la responsabilité de la décision, on tente de fermer la porte aux opposants à cet avenir dangereux. J'espère néanmoins que ma voix d'industriel sera entendue. En tout cas, je ferai tout ce qui est en mon pouvoir pour m'opposer à toutes dérives » / Rebondissement au procès de Liam Baodang. Un témoin qui n'avait pas été entendu par la police fournit un alibi inattaquable au secrétaire général de la National Ethic Fundation. John Preston Funcks, président d'honneur de la NEF, s'est déclaré soulagé de ce nouveau témoignage / Le corps de Shueng To Shen, le lieutenant supposé de Charles Betaglia, a été découvert cette nuit dans le collecteur sud des égouts lesté de cent kilos de béton. La police se refuse à tout commentaire pour l'instant / Attentat meurtrier à Shanghai : 123 morts, 475 blessés dans l'explosion du palais des expositions. La secte Falulong a revendiqué l'attentat par un message envoyé aux forces de police chinoise. Dans le même temps, l'agence Reuters recevait une revendication de L'Armée de Libération Tibétaine tandis qu'un message vidéo envoyé à CNN attribuait la paternité de l'attentat aux Bio Terroristes / Premier rayon de soleil sur Islamabad après six mois de nuit atomique à la suite de l'attaque éclair de l'aviation israélienne sur la centrale d'Eau Lourde de Percham. D'après les spécialistes, la diminution de l'épaisseur de la couche de poussière projetée dans l'atmosphère par l'explosion devrait permettre un retour à la normale de l'ensoleillement d'ici à trois mois / C'était Goopeal News 7 heures »*

J'avais passé toute ma nuit à rêver aux bras de Mylock et je me suis réveillée en larmes. Ça faisait pourtant près de six mois maintenant qu'il était parti et je n'arrivais pas à penser à lui sans pleurer comme une vache. Le plus étrange est que depuis son départ, je n'avais jamais réussi à le détester… Au contraire même, plus le temps passait et plus je m'en voulais de n'avoir pas su le retenir.

Miutu Muy, à qui j'avais fait part de mes déboires sentimentaux, m'avait expliqué mon problème. Bon, c'était de la philosophie muyenne, mais il y avait du vrai dans ce qu'elle disait.

– On attire les hommes avec le mystère de la chatte. Ne te leurre pas là-dessus, Ashelle ! Les hommes ne nous courent après que pour ça : savoir à quoi ressemble ce que nous avons entre les cuisses. On peut faire tenir ce mystère jusqu'à six mois… Ensuite, il est tellement éventé que c'est à peine s'ils y jettent un œil à l'occasion. Et c'est là que ça se corse pour toi, ma belle. Car pour les retenir plus de six mois, il faut être capable de leur offrir un foyer, un feu, un lit et une table sous laquelle ils pourront glisser les pieds pour manger… Si tu es très mystérieuse, reconnaissons-le, tu es nulle question femme au foyer. D'ailleurs, tu n'as même pas de foyer. Alors, n'escompte pas garder un bonhomme plus de six mois.

Force est de reconnaître qu'elle avait pleinement raison. Mylock m'avait quittée très exactement six mois après notre première rencontre. Et en plongeant dans mes souvenirs, tous les autres également. Mais de ceux-là, je m'en moquais. Mylock, par contre, c'était autre chose, ce que j'aimais le plus chez lui, c'est tout ce qu'il était en dehors de mon lit.

J'avais deux heures avant mon rendez-vous à l'angle de Smith et Yat-Sen et j'en ai profité pour passer voir Wayne Cassidy. Ce que j'avais vu et lu la veille avait éveillé en moi une forte excitation. Une personne retrouvée morte avec des organes en moins, c'est un fait divers sans intérêt. 97 victimes vidées comme des gorets, ça devient une sacrée bonne histoire. Restait à voir si la criminelle enquêtait sur la chose. Deuxième chose à éclaircir : quel lien entre ces victimes et l'affaire Yen Fat.

Wayne avait un bureau à l'Office Central et il y arrivait aux aurores. Un vieux reste de son passage à l'Académie de lutte, l'ancêtre de la Street Fight League Academy, où les journées commençaient à 5 heures du matin, dimanche compris. Car Wayne est un des tout premiers champions de la Street Fight League. On peut dire qu'il a été l'un des précurseurs de ce sport. Je ne connais pas bien son histoire, ça remonte à vingt ans au moins, autant dire une éternité, mais je crois qu'il a été viré de l'Académie de lutte pour brutalités répétées et qu'il s'est lancé alors dans des combats clandestins qui allaient donner naissance à la Street Fight.

L'OC se trouve en semi-périphérie de Ouang. Juste en bordure du Circle 1, le premier des six périphériques qui ceinturent la ville. C'est un immeuble de quatre-vingt-cinq étages qui regroupent les six offices de l'OSPD : criminelle, stupéfiants, mœurs, financières, jeux, cybercriminalité. Wayne est patron de la criminelle, et il bénéficie d'un bureau plein sud qui embrasse toute la ville. De la baie vitrée de son burlingue, on a le sentiment de découvrir Ouang d'un seul coup d'œil. Mais ce n'est qu'une illusion, aime-t-il à répéter à ceux qui s'extasient : « On ne voit que la surface de Ouang. À peine 20 % de la ville. Le reste… mon royaume, n'est pas visible d'ici. Il est dessous, dans les caves, les bas-fonds, le tube. »

Grâce à mon e-Me et à l'autorisation permanente d'entrée, j'ai franchi les sas de sécurité sans avoir à faire la queue avec les clandestins en attente de papiers. Je me demandais toujours, en voyant cette masse infinie de migrants, ce qu'ils venaient chercher à Ouang. Car soyons très clairs, si vous n'êtes ni blanc, ni jaune, ni super diplômé, vous n'aurez droit qu'aux rebuts de boulots dans cette ville… La seule explication que j'ai trouvée à leur présence sans cesse plus nombreuse est que la vie dans leur pays doit être pire encore que celle qu'ils trouvent ici.

Arrivée à son étage, je suis entrée directement dans le bureau de Wayne. À cette heure matinale, son assistante (on la surnomme Gracieuse tant elle est vieille, moche et désagréable... mais elle se ferait tuer pour lui) n'était pas encore là pour faire barrage.

Le commissaire Cassidy était assis derrière son bureau, une cigarette au bec. C'est toujours un choc de voir cette masse d'ours des Carpates derrière une table. Comme un roc sombre et dangereux posé sur le milieu d'un chemin creux dans une forêt d'épineux. Je ne connais personne qui ne se sente pas petit face à Cassidy. Au début, lors de nos premières rencontres, alors qu'il n'était pas encore commissaire, j'ai eu le désir de me laisser couler entre ses bras. Je défie la plus prude des femmes de ne pas y songer un instant quand on rencontre une masse de ce genre... Sans doute était-il plus inquiétant jeune, mais aujourd'hui, avec l'âge et les rondeurs des bons repas et des alcools, Cassidy donne envie de se blottir entre son ventre et ses bras.

Je lui avais fait un peu de gringue sans succès.

— Ne commencez pas à coucher avec vos sources, Ashelle, vous risqueriez de les tarir... et, soit dit entre nous, vous n'êtes pas du tout mon genre. J'aime les femmes au genre féminin.

Curieusement, je ne lui en avais pas voulu. Peut-on reprocher à un ours de vous taper le museau de sa grosse patte quand on l'approche de trop près ?

— Ashelle Vren !? Que viens-tu faire par là, buveuse de sang ? J'ai sous les yeux les rapports de la nuit et je ne vois aucun flot d'hémoglobine susceptible de t'amener par ici. Alors, soit c'est amical, soit c'est grave.

Je crois qu'il m'aime bien, le grand Cassidy. Et c'est réciproque. Je me suis assise dans l'un des deux fauteuils qui font face à son bureau.

— C'est amical et grave à la fois commissaire.

— Je t'écoute.

— J'ai... On m'a transmis une série de documents. Il en ressort que l'OSPD aurait lancé une enquête discrète, pour ne pas dire secrète, sur un trafic d'organe de grande échelle.

— Qui ?

— Pardon ?

— Qui t'a transmis ces documents ?

— Je ne dévoile pas mes sources commissaire, tu le sais bien.

— Alors, je ne peux pas t'aider.

Il s'est levé comme pour me serrer la main.

— Holà, du calme, Wayne. Qu'est-ce qui t'arrive ?

— J'ai beaucoup de boulot devant moi Ashelle. Alors les histoires de trafic d'organes qui sortent d'un chapeau inconnu, je les traite comme les snuff movies. Direct poubelle.

— Tu ne crois pas aux snuff movies ?

— Si. Ils existent ! J'en ai même vu un certain nombre.

— Ben alors ?

— Ça n'en fait pas une réalité à grande échelle. Ni même une vérité tout court. J'ai vu plusieurs fois les mêmes victimes dans des films différents. Alors, quand on me parle de gang qui enlève de paisibles citoyens pour les massacrer à l'écran, je zappe. C'est du flan tout ça... à la limite, je veux bien croire à des cas isolés, mais pas à un réseau. Ce serait trop gros à camoufler.

— Qu'est-ce qui pourrait te faire changer de point de vue ?

— Une source sûre, Ashelle. Une source fiable et pas une légende urbaine.

— Un membre du Grand Conseil des Annonceurs ?

Il a laissé passer un silence. Puis, du menton, il m'a invitée à poursuivre.

— Certains pensent que l'affaire Yen Fat ne serait que la partie visible d'un iceberg autrement plus sordide. D'après les documents que j'ai vus, la vérité serait apparue par hasard lors du test de couplage de la base de données SIVAPRO et du logiciel Face-Lock.

— Ah ! Face-Lock !

— Tu connais ?

— Difficile de faire autrement. C'est la bombe atomique du moment et tout le monde ici cherche désespérément le moyen d'échapper à l'explosion et aux retombées.

Avec Cassidy, c'est toujours ainsi. Aucune discussion ne peut suivre la ligne droite, il faut accepter les interruptions et les digressions. Les accepter et surtout bien les écouter, car mises bout à bout, elles forment toujours un tout cohérent.

— Que veux-tu dire ?

— Tu connais le principe de Face-Lock ?

— Grosso modo.

— Chaque visage possède un certain nombre de points qui, malgré les ans, les blessures ou la chirurgie esthétique, ne changent pas. Le système les repère, les intègre en base, puis effectue la comparaison avec n'importe quelle base de fichier anthropométrique. En clair, quand on récupère un cadavre sans nom, on filme son visage et on l'injecte dans Face-Lock. Si la victime a fait l'objet d'un avis de disparition, ou si elle possède un casier, Face-Lock la ressort de nos fichiers. Pareil pour toutes les vidéos surveillances des magasins, des banques, des supermarchés... Quand on mettra officiellement ce système en place, un grand nombre d'affaires non résolues va refaire surface. Et le jour où on le couplera avec la base e-Me, alors là ce sera le grand show. Tu imagines le boxon pour nous ? Le grand OSPD laminé par une machine ! Tes copains vont s'en donner à cœur joie.

Il laissa passer un silence.

— Et tu dis que tu as entre les mains des dossiers d'affaires non résolues remontées par Face-Lock qui prouveraient un trafic d'organes ?

— Disons que l'on m'a donné à voir un certain nombre de pièces qui laissent à penser...

— Quels genres de pièces ?

— Vidéos, note restreinte, un rapport d'intervention et une note blanche...

— Oh oh ! Une note blanche. Ça veut tout et rien dire ça. Tant qu'on ne connait ni l'expéditeur ni le destinataire, elle ne vaut rien.

— Es-tu au courant d'une enquête sur le sujet ?

— Non... mais je me renseignerai si tu veux.

— Ça m'arrangerait.

Je me suis levée pour lui serrer la main. J'ai déposé ma petite chose dans sa grande paluche et il l'a emprisonnée. Je lui ai jeté un regard étonné.

— Fais attention à toi, Ashelle. Les sources de ce niveau sont dangereuses... On croit les suivre alors qu'elles ne font que te pousser là où elles veulent que tu arrives.

Le carrefour San-Tse-Smith c'est le cœur de Ouang Schock. Le Smith tout d'abord, douze kilomètres rectilignes d'est en ouest, bordé de casinos avec leurs vagues de lumières qui dégueulent sur le trottoir, leurs parterres animés d'un ballet de limousines, d'un spectacle caraïbe ou de la prise d'un château fort. Des buildings de cent, cent cinquante étages, en verre et acier enchâssés, brillants sous le soleil en reflets bondissants d'une fenêtre bleue à un vitrail Tsing Tao, les nuages effilochés dans les pistes d'atterrissage des hélicoptères sur les toits. Deux rangées de Ginko tout le long du Smith avec au centre, le tramway 1 qui court de Baijang Bay à Circle 1. Des cent et des mille de piétons qui remontent le Smith et écrasent leurs petits nez ronds sur les vitrines triples X et le bazar des prêteurs sur gages. Les roulottes à hot dog, les marchands de chiens grillés. Les cavernes SEGA d'où jaillissent les cacophonies virtuelles d'un monde de guerre et de sport extrême, les bars à Tapas, les sushis-bars, les cocktails lounge, les lanternes rouges, les bordels à vraies filles, les bordels à latexgirl et latexboy, les discounts spirites, les multiplex cinéma et les salles de concert. Des indu[1] en file indienne aux stations et une myriade d'autres en maraude en quête du client à driver d'un coin à un autre de la ville ; et parfois, les limousines atmosphériques des vrais maîtres de Ouang.

En son plein centre, comme une saignée d'ombre, le San-Tse qui le coupe perpendiculairement. Majestueux et méprisant dans ses livrées victoriennes. Une avenue d'un autre temps, celle du maître suprême : le général Yun San-Tse. Des

1 Taxi à induction

immeubles en pierre et brique, avec des perrons sous tonnelles, des langues d'herbe verte devant les façades. Des magasins plus ternes, plus discrets, mais dont les prix explosent au portefeuille quand on ose y faire un achat. C'est l'avenue des administrations et des seigneurs de Ouang. N'y vit que celui qui possède la patte blanche magique : l'e-Me Black Magic avec crédit illimité.

Les touristes ne remontent quasiment jamais cette avenue sombre, car ils ne cherchent que la lumière sans jamais s'intéresser à ceux qui la produisent. Mais peu importe.

Le carrefour explose sous les hordes de visiteurs... car il y a six autres avenues qui débouchent à ce carrefour, dont le Strand View en direct de la gare. Une gare de tram, trois lignes de tube et six arrêts de bus. C'est le déversoir à humain, cette place. Et sur les façades des immeubles qui la bordent, des dizaines d'écrans géants qui crachent de la pub 24/24.

J'étais à peine arrivée qu'une gigantesque limo noire s'est approchée du trottoir et s'est arrêtée devant moi. De la porte avant est descendu mon copain Gregor. Il m'a saluée de la tête et a ouvert la porte arrière.

Je me suis installée à côté de Lautre. Il était toujours aussi gominé et sentait toujours aussi bon. C'était louche.

– Bonjour, Mademoiselle Vren. Avez-vous passé une bonne nuit ?

– Un peu courte.

– Que pensez-vous du dossier que nous vous avons remis ?

– Pour l'instant rien, ou pas grand-chose. Je ne peux pas tirer de conclusion de documents disparates, même s'ils ont des points communs.

– Je vous comprends. Et qu'en pense le commissaire Cassidy ?

– Vous me faites suivre !? Je n'aime pas cela. Je suis et reste une journaliste, pas détective privé.

Il sourit sous la virulence de mon ton.

– Ne vous faites pas plus vertueuse que vous ne l'êtes, Mademoiselle Vren. Nous n'avons nul besoin de vous suivre pour savoir très exactement ce que vous faites. Et dites-vous que dans cette enquête, être localisée en permanence peut vous sauver la vie.

– Je n'ai pas le sentiment d'être en danger, Monsieur Lautre.

– Vous l'aurez très bientôt, Mademoiselle. Je peux vous l'assurer.

Je me suis mise à rire.

– Vous avez une manière très personnelle de motiver vos troupes, Monsieur Lautre.

– Je pense que vous ne percevez pas précisément dans quel monde vous êtes en train de mettre les pieds. Alors, laissez-moi vous expliquer les choses telles qu'elles sont : les données en notre possession nous permettent d'évaluer le marché du trafic d'organes au niveau planétaire à douze milliards de *sterlins*. Et les prévisions de croissance sont énormes. Celui qui contrôlera ce marché sera riche, Mademoiselle Vren. Plus riche que vous ne pouvez l'imaginer. Et je vous affirme qu'il y a dans l'ombre une guerre féroce entre différentes familles et clans pour s'assurer la mainmise sur ce butin. Je peux vous assurer également que ceux qui luttent actuellement les uns contre les autres, marcheront main dans la main dès qu'ils comprendront qu'une tierce personne a décidé de révéler au grand jour leur sinistre besogne. Pouvez-vous penser une seule seconde que votre vie vaut quelque chose face à ces milliards ? Pensez-vous que cette affaire soit sans danger alors qu'un Jonah Quinte, malgré tout son pouvoir, ne peut ordonner une enquête officielle ? Nous voulons que vous réussissiez, Mademoiselle Vren. Alors, vous serez sous surveillance permanente. Maintenant, prenez ceci.

Il me tendit une carte de visite.

— Ce sont les coordonnées de l'inspecteur Valencia. Appelez-le de la part de Monsieur T. Il vous donnera un rendez-vous.

Je regardais la carte entre mes mains.

— Vous m'avez donné rendez-vous aux aurores pour me remettre une carte ! Ne pouviez-vous pas me l'envoyer par e-Me ?

– Certaines informations ne doivent pas exister sur la toile, Mademoiselle Vren.

– Et qui est-ce, ce Valencia ?

– Un inspecteur d'un genre que vous ne connaissez pas... Une sorte de police parallèle. Une police qui mène des enquêtes sans jamais arrêter personne.

– Pas très efficace, quoi.

– Oh que non... enquêter nécessite de la discrétion et du secret. Procéder à une arrestation oblige à s'exposer à la presse. Valencia fait partie d'un département qui enquête et remet le fruit de ses travaux à d'autres services. Il est l'ombre, ils sont la lumière. Sans le savoir, vous avez bénéficié de son travail dans l'affaire Yen Fat.

Transcript d'écoute 119/67
FYEO : Romitz OSPD / Bao-Belenguer S7

Appel : 657 841 745 336
Recevant : 547 896 621 555

A DÉTRUIRE

10 h 37
**Recevant :** Oui
**Appel :** C'est moi.
**R :** Alors.
**A :** Fat vient d'être admis à l'hôpital de Huan Gia.
**R :** Dans quel état ?
**A :** Je dois dire qu'ils se sont surpassés. Je n'avais encore jamais vu cela…
**R :** Abrégez mon vieux.
**A :** Ils lui ont coupé une couille et la lui ont enfoncée dans le trou du cul. C'est suffisamment abrégé comme compte rendu.
**R :** Ils l'ont castré !?
**A :** Non… Ils ne lui en ont coupé qu'une. Ils l'ont prévenu qu'il avait intérêt à bien réciter votre leçon, sans ça ils feront un sort à sa deuxième.
**R :** …
**A :** Vous êtes toujours là ?
**R :** Oui.
**A :** Ils attendent leur levée d'écrou maintenant.
**R :** Quand elle l'aura vu, c'est ce qui était convenu…
**A :** OK.
**R :** Au fait, vous avez reçu les fonds ?
**A :** Oui, oui…
10 h 43

# 6

« *Goopeal News 10 heures avec Manfred Suleimanoglu. L'actualité du monde et de Ouang Schock en quinze minutes et tout en images / Déjà quatre millions d'inscriptions pour l'exécution ce soir à 20 heures sur www.violentdeath7.co.os des meurtriers du Hibou de Nuit. Le pop-up pub atteint des records avec trois cent mille* sterlins *les quinze secondes / Le comité des mères de disparus de Ceyling Bang a engagé une class action contre la guilde des assureurs pour obtenir le versement des primes d'assurance-vie / Osseman Drive a assisté ce matin à l'inscription de son nom au Hall of Fame de la Street Fight League en présence de Hua Quo Chieng, président de la SFL / Scène d'apocalypse à Shanghai. Le palais des expositions, entièrement éventré par la violence terrible de l'explosion d'une bombe de forte puissance, ne cesse de vomir un flot de nouvelles victimes. Le dernier bilan officiel fait état de 287 victimes et 658 blessés. La police se refuse toujours à commenter les six différentes reven-*

*dications reçues à ce jour / Inauguration aujourd'hui du huitième bureau international des fonds spéculatifs. Ignace Portobello, le président de la banque mondiale de régulation, a insisté sur la nécessité de poursuivre les efforts de déploiement de ces bureaux : « L'étalement des risques financiers sur le plus grand nombre est la seule voie possible pour assurer le dynamisme économique de la planète » / À la conférence œcuménique de bioéthique de Bagdad, pendant religieux de la conférence bioéthique ouverte hier à Ouang Schock, les représentants des trois religions du livre ont déclaré : « Toutes démarches consistant à monétiser le vivant, et quels que soient les éventuels bienfaits sur la santé humaine, ne peuvent qu'inquiéter. Nous, hommes de Dieu, ne pouvons assister à cette dérive sans alerter l'humanité du danger qu'il y aurait à ne voir dans cette science qu'un nouveau marché, sans prendre en considération le respect de la personne humaine dans l'intégralité de ses composantes : c'est-à-dire le corps et l'âme » / Tokyo toujours en prise avec le brouillard. Depuis la mise en place de la pile à combustible sur l'ensemble des véhicules de la région, les rejets en vapeur d'eau ont augmenté dans de telles proportions que le degré hygrométrique de la ville a atteint le troisième stade de la cote d'alerte qui en compte cinq / Dernière minute : Yen Fat, le cerveau présumé du gang des fœtus, a été agressé lors son arrivée à Huan Gia. Victime de plusieurs coups de couteau. Pour l'heure, ses jours ne seraient pas en danger / C'était Goopeal News 10 heures »*

– Votre père a sombré dans le coma ce matin vers 6 heures 30, Mademoiselle Vren. Nous l'avons placé en soins intensifs sous bulle stérile. Ses défenses immunitaires ont chuté dramatiquement dès qu'il a perdu connaissance. Il semble que ses poumons soient attaqués à leur tour. Je ne vous cache pas que, sans une rapide transplantation, ses chances de survie sont très faibles.

J'écoutais le docteur Allard sans rien entendre de ce qu'il disait. Tout ce que je comprenais, c'était que mon père allait mourir et que je ne pouvais rien faire pour l'aider. À moins de trouver un rein et un poumon à vendre. Je me suis demandé combien cela pouvait coûter.

– Et si l'on trouvait les organes, aurait-il une chance ?

Le médecin me regarda avec beaucoup de fatigue dans les yeux. Il avait beau être jeune, il se dégageait de lui une immense lassitude. Comme si, à force de trop lutter contre la maladie et la mort, il avait épuisé toutes ses forces.

– Vous devriez vous préparer à lui dire adieu, Mademoiselle. Les listes d'attente sont pleines et votre père n'est pas prioritaire.

J'avais les larmes aux yeux.

– Mais si je trouvais moi-même ces organes ?

Il a soupiré.

— Mademoiselle, ces choses-là ne poussent pas sur les arbres. Nous sommes tributaires des aléas de la vie et de la mort de nos donneurs. Ne vous torturez pas à essayer de sauver votre père, vous n'y pouvez rien.

— Il n'y a vraiment rien à faire ?

— Priez... si cela veut encore dire quelque chose.

Il m'a tapoté l'épaule et s'est éloigné. Je suis restée seule dans ce couloir blanc et vert avec des malades en pyjamas informes qui poussaient leur trépied lesté de poche à sérum de toute sorte. Je regardais la peinture des murs qui s'écaillait et les néons frappés par le hoquet sous leur grille. J'entendais les respirations angoissées des malades qui attendaient avec espoir qui un rein, qui un cœur, qui un poumon... J'étais là à attendre la mort de mon père alors que dehors, des hommes amassaient des fortunes en revendant les organes sains de pauvres types enlevés dans la rue.

Jusqu'à présent, je n'avais pas vraiment réfléchi à cette enquête. J'étais encore trop marquée par ma rencontre avec Quinte et tout ce que cela impliquait pour mon avenir. Je m'étais laissé porter sans chercher à me poser. Mais là, dans ce couloir d'hôpital, l'envie de fourrer mon nez dans ce marigot est arrivée.

L'inspecteur Valencia avait accepté de me retrouver pour le déjeuner chez *Comme ça du mode*. Au début, il m'avait envoyé bouler, puis avait changé du tout au tout lorsque je lui avais mentionné Monsieur T.

J'aime bien *Comme ça du mode*, la bouffe est bonne car le patron ne force pas trop sur les additifs de saveurs. Sur les tables-écrans sont diffusées des images de tous les pays d'origine des plats qu'il propose. Pour ce qui est du nom, personne ne connaît la raison de la faute. Le patron lui-même s'en tamponne le coquillard. Il a acheté le fond avec le nom et il l'a conservé.

En l'attendant, j'ai activé une alerte sur la base de données de Télé7 et sur les archives ouvertes de l'OSPD. Je voulais ressortir tous les reportages et dossiers concernant les découvertes de cadavres auxquels il manquait des organes. Jusqu'à présent, je n'avais entre les mains qu'un demi-dossier et une supposition autour du test Lock-Face. Un peu court pour monter un reportage.

Avec un peu de chance, j'allais avoir le soir même sur mon e-Me une sacrée liste d'affaires classées et non résolues qui me permettrait de donner une direction à mon enquête.

Valencia est arrivé avec quinze minutes de retard. Juste le temps de me mettre hors de moi. J'avais envie de l'incendier. Mais il n'avait ni la tête ni le physique de quelqu'un à qui on peut reprocher son retard. Il n'était ni particulièrement grand, ni particulièrement costaud, mais tout son être exprimait la brutalité. J'avais déjà croisé ce genre de types dans ma carrière, mais généralement de l'autre côté de la barrière... je veux dire qu'ils n'avaient pas sur eux de plaque de l'OSPD. Ce sont des hommes dangereux qu'il ne faut surtout pas prendre à la légère, car leurs limites morales sont bien plus lointaines que vos pires cauchemars. Valencia, je le sentais instinctivement, était du genre à tirer une balle entre les deux yeux d'un type à 10 heures et oublier l'avoir fait en fin de matinée.

Quand il est entré dans le restaurant, il y a eu un bref moment de silence général. Comme si tous les clients avaient, d'une manière ou d'une autre, ressenti le danger qu'ils courraient en sa présence. Il a jeté un regard à la ronde et s'est avancé directement vers moi. Dans le restau, les gens s'étaient remis à parler.

Il s'est approché de moi.

— Vous êtes Vren ?

— Oui.

Et je me suis levée pour lui tendre la main qu'il n'a pas serrée.

— Je suis l'inspecteur Valencia.

— Je vous en prie, assoyez-vous. Désirez-vous boire quelque chose ?

— Un Rumble Far avec des samoussas, si c'est possible, je n'ai pas eu le temps de bouffer quoi que ce soit depuis ce matin.

— Une dure journée ?

— Bof... de toute façon, je ne crois pas que nous soyons là pour parler de mon emploi du temps. Ne perdons pas de temps. Monsieur T m'a demandé de répondre à vos questions alors posez-les.

Il parlait sur un ton monocorde avec une voix blanche.

— Très bien. J'aimerais avoir votre avis sur l'affaire Yen Fat.

— L'affaire est close... Fat est au trou et d'après ce que je sais, ça sent le sapin pour lui.

— J'ai entendu ça effectivement, c'était au Goopeal de 10 heures, mais il s'en est sorti.

— Mes sources ne sont pas télévisuelles, Vren. Et pour Fat, ce n'est que partie remise. Je l'imagine mal finir la semaine. Ce type est condamné.

— Avez-vous une idée de l'identité de ceux qui veulent sa mort ?

Il écarta les mains et fit une moue négative.

— Vraiment aucune idée ?

— Je n'ai pas de boule de cristal, Vren. Moi je travaille sur des faits. Là, je n'en ai aucun... et je ne suis pas du genre à faire des suppositions. Cela ne sert à rien.

— Moi par contre, je suis payée pour en faire, inspecteur. Alors je vais vous faire part des miennes. Je crois que Yen Fat n'était pas le chef suprême de son affaire. Il n'était qu'un exécutant, un simple lieutenant. Aujourd'hui, ceux qui sont au-dessus de lui cherchent à le faire taire parce qu'il sait des choses potentiellement dangereuses pour leur sécurité.

— C'est possible.

— Je pense également que le trafic de Fat n'est que la partie émergée d'un business beaucoup plus vaste.

Valencia m'a regardée avec une lueur dans le regard. Comme s'il m'invitait à développer.

— J'ai eu entre les mains des rapports et des documents qui me laissent croire qu'il y a dans Ouang un véritable trafic d'organes. Je crois que Fat faisait partie d'une organisation qui a fait de ce macabre business son fond de commerce.

— Bonne pioche, Vren.

— Pardon ?

— Ce que vous dites est l'exacte vérité. Le seul problème est que pour l'heure vous n'avez rien en main pour pouvoir l'affirmer. Tout comme je n'ai rien pour choper ces pourris.

— Vous avez enquêté sur l'affaire ?

— Mon métier, c'est d'enquêter sur tout ce qui grouille sous la vase de Ouang, Vren. Alors, les fœtus de Fat, vous pensez bien que nous les suivions à la trace.

— Que savez-vous sur le trafic d'organes, inspecteur ?

Il s'est rejeté en arrière de son fauteuil, et a baissé la tête en regardant plus profond que le sol sous ses pieds.

– Ce que je vais vous raconter, Vren, n'est étayé par aucune preuve. Je vous parle par amitié pour Monsieur T. Mais soyons bien clair : je ne vous ai jamais rencontrée et je vous interdis de me mentionner dans un de vos reportages.

– Je ne dévoile jamais mes sources inspecteur Valencia.

Il a réfléchi encore une bonne dizaine de secondes avant de commencer.

– Il y a à Ouang Schock sept cliniques spécialisées dans la greffe d'organes. La plus grande de ces cliniques possède cinq blocs opératoires qui fonctionnent vingt-quatre heures sur vingt-quatre, sept jours sur sept. À raison de deux opérations par jour et par bloc, cela donne un volume de sept cent trente greffes par an. Une greffe coûte en moyenne deux cent mille *sterlins*. La clinique réalise donc un chiffre d'affaires de cent quarante-six millions de *sterlins* par an. Si on multiplie par les cinq cliniques, on avoisine les sept cents millions... Commencez-vous à comprendre, Vren ?

Je comprenais effectivement qu'il y avait beaucoup d'argent à la clef. Je savais aussi que la mafia, comme le fisc d'ailleurs, est incapable de résister à la tentation de prendre sa part quand un gros paquet de pognon passe sous son nez.

– Vous voulez dire que les cliniques sont entre les mains de la mafia ?

– Je n'ai pas dit cela, Vren. Les choses seraient trop simples si c'était le cas. Ne vous focalisez pas sur les cliniques. Elles ne sont que l'un des rouages du business. Et puis, la mafia est rarement en façade du business. Elle aime trop l'ombre pour s'afficher ainsi. Les cliniques, c'est juridiquement propre... du moins tant que l'on ne fouille pas trop dans les structures financières qui les possèdent.

— Et le reste du business, c'est quoi ?

— Avoir une belle clinique et quelques blocs opératoires n'a aucun intérêt si l'on n'a pas de clients. Ouang a beau être une ville pleine de riches et de vieux, elle ne pourrait pas remplir à elle seule les carnets de commande de nos chirurgiens. Il faut donc prospecter d'autres pays pour trouver les clients. Mais la greffe d'organes, même si elle est de plus en plus facile à réaliser, n'est pas un marché comme les autres. On ne peut pas faire de grandes campagnes de publicité, on doit rester dans le feutré, dans le secret. Et qui dit secret, dit pognon. Normal !

— Là aussi la mafia est présente ?

— Encore !? Vous êtes une monomaniaque de la mafia, Vren. Mais disons que pour cette partie du business vous n'êtes pas loin de la vérité.

— Et pour les organes ? Sans eux, il n'y a pas de business.

— Là aussi, c'est assez bien organisé et totalement secret. Il y a deux méthodes pour obtenir un organe : la voie légale, c'est-à-dire la liste d'attente et les riches n'aiment pas attendre, ou la voie parallèle.

— Je vois... C'est quoi la voie parallèle ?

Valencia haussa les épaules.

— Il y a plein de moyens pour obtenir un rein, un foie, ou un poumon.

— Ça ne s'achète quand même pas au supermarché du coin.

— Tout dépend ce que vous appelez supermarché.

— Je ne comprends pas.

— Il y a des pays où la vie est si dure que l'idée de vendre ses organes pour survivre y est tout à fait normale. D'une certaine manière, on peut dire que les pays pauvres sont les supermarchés de notre affaire.

— Ça donne des frissons dans le dos.

— C'est la loi de l'offre et de la demande, Vren. C'est vieux comme le monde : on vend ce que les autres veulent acheter. Aujourd'hui, les riches veulent vivre vieux et en bonne santé, alors les pauvres vendent leur chair. Le business est donc clair : il y a donc ceux qui cherchent les clients et ceux qui cherchent les donneurs. Il ne suffit plus que de mettre en relation les donneurs, les acheteurs et les cliniques.

— Et tout ça est légal ?

— Couci-couça. La législation sur le don d'organe est très encadrée, à Ouang comme ailleurs, mais aucune loi n'interdit à un individu de céder une part de lui-même contre rémunération. Et puis, quatre-vingt-dix pour cent des opérations faites dans ces cliniques sont déclarées comme des interventions de chirurgie esthétique, histoire de sauver les apparences.

J'ai pensé au *Marchand de Venise* et j'ai eu un frisson.

— Mais, et les enlèvements ? Les meurtres ? Ces victimes que l'on retrouve vidées de leurs organes ?

— Ça, c'est nouveau. La demande devenant de plus en plus forte, il est de plus en plus difficile de trouver des donneurs sains. Alors, on tape dans la masse des clandestins qui trainent en ville. Leur disparition est quasi invisible, et de toute façon, la police a autre chose à faire que de s'occuper de la mort de quelques clandestins.

— Peut-être que Face-Lock va changer les choses.

Il a eu une moue dubitative.

— La mort de clandestins n'a jamais passionné les foules, Vren. Vous en savez quelque chose. Si les victimes étaient des gens d'ici, alors peut-être que les choses changeraient. Et encore...

— Savez-vous quelle mafia ou quelle famille est derrière ce trafic ?

— Non. Ou plutôt si. Toutes les familles aujourd'hui se battent pour récupérer le marché.

— Et vous attendez de voir qui va sortir gagnant avant d'intervenir. C'est ça ?

— On interviendra si on nous le demande.

http://www.freewiki.co.os/wiki/yunsantse

YUN SAN-TSE

1892-1959 / Créateur et premier dirigeant de la Cité-État de Ouang Schock

*Cet article est en cours de réalisation.*

*Notifiez les erreurs / Apportez votre contribution*

## Histoire

Deuxième fils d'un officier de l'armée impériale, Yun San-Tse fut plongé dès sa jeunesse dans la vie militaire. Il entra dans l'armée à l'âge de seize ans et fut envoyé au Japon puis aux États-Unis pour parfaire ses études militaires.

Comme beaucoup de jeunes officiers, il fut séduit par le romantisme révolutionnaire et fut presque exécuté pour trahison. Il rejoignit l'armée républicaine de Yuan Shikai et se convertit au christianisme en 1914.

Alors colonel dans la brigade Quing de l'armée impériale, il rejoint le 22 mars 1916, à la chute de Yuan Shikai, le « dernier empereur régnant de chine », les rangs du seigneur de la guerre Tang Jivao qui dirigeait d'une main de fer les provinces du Yunnan et de Guizhou.

Nommé général par Tang Jivao, il est chargé d'assurer la sécurité sur les frontières birmanes et laotiennes, et d'éradiquer le trafic d'armes, d'or et d'opium qui y prospère.

Pendant six ans, Yun San-Tse poursuivit sans trêve une campagne d'éradication des nombreuses bandes qui pullulaient dans la région. Ces opérations de « maintien de l'ordre » furent d'une brutalité inouïe. Même s'il n'existe aucun chiffre officiel, certaines sources font état de 137 000 morts.

L'ordre 127-65 du 26 juillet 1922 est à ce sujet éloquent :

*« Il sera envoyé sur Yucha (une des sous régions dirigée par San-Tse) des matières combustibles de toutes sortes pour incendier les bois, les taillis et les villages. Les forêts seront abattues, les repaires des rebelles anéantis, les récoltes coupées et les troupeaux saisis. La contrebande sera exterminée, et Yucha détruite si nécessaire... seront passés par les armes, les brigands trouvés les armes à la main ou convaincus de les avoir prises,* y compris *les filles, femmes et enfants qui seront dans ce cas. On privilégiera l'arme blanche lors de ces opérations de nettoyage pour économiser les munitions ».*

Malgré cette violence, la population dans son ensemble prit partie pour San-Tse qui apportait un semblant d'ordre dans cette région pillée et terrorisée depuis des années par les contrebandiers.

En 1924, le fort était devenu une ville de 12 000 habitants et San-Tse en fit la préfecture de la région.

Les succès de San-Tse lui valurent des félicitations officielles de Tang Jivao, mais en réalité, le seigneur de la guerre voyait d'un très mauvais œil son subordonné prendre de l'importance et la décision fut prise au quartier général à Kumming de se débarrasser de lui.

En 1925, convaincu de n'être plus en grâce auprès de son chef, Yun San-Tse prit contact avec les autorités de la République de Chine et leur proposa ses services.

S'il ne participa pas à l'expédition du Nord, il se lança avec les armées de Tchang Kaï-Chek dans une guerre rapide et victorieuse contre son ancien chef Tang Jivao.

Le 1er janvier 1927, il posa les statuts officiels de la Cité-État de Ouang Schock et s'autoproclama président directeur général de la cité.

Le 28 mars 1949, un accord secret avec le secrétaire général du Parti communiste chinois, Mao Zedong, accorda à Ouang Schock une autonomie complète dans le domaine économique, sans pour autant lui reconnaître une existence indépendante.

Jusqu'à sa mort, le 12 juillet 1959, San-Tse dirigea sa Cité-État d'une main de fer, ne laissant à personne d'autre que lui-même et certains membres de sa famille le droit de mener les affaires.

Développant l'industrie du jeu au maximum des possibilités, certains milieux autorisés affirment qu'il reprit également en main et développa de manière importante l'ensemble des trafics qu'il avait combattus.

À sa mort, Ouang Schock comptait 8 millions d'habitants et couvrait 53 % du territoire que lui avait cédé Pékin.

# 7

J'AI PASSÉ toute mon après-midi et le début de la soirée à visionner le fruit de mes recherches lancées le matin même. Une véritable indigestion de cadavres. J'ai beau être une spécialiste du meurtre en tout genre, je dois bien avouer que jamais encore je ne m'étais coltiné pendant plusieurs heures de rang une interminable succession d'images de corps trucidés.

Il y en avait pour tous les goûts : les pieds lestés de béton et noyés, les défigurés à l'acide, les battus à mort avec leurs membres dans des angles inédits, les criblés de plomb, les décapités, les pendus, les brûlés vifs, ceux qu'on a traînés sur le bitume le long d'une chaîne accrochée au pare-choc d'une voiture, ceux qui ont explosé sur une charge de plastic posée sous leur siège, les étranglés avec la langue hypertrophiée, les étouffés avec la tête dans un sac plastique, deux que l'on avait gonflés dans une station-service jusqu'à ce que leur ventre explose, des défigurés par la douleur à force de boire du déboucheur d'évier, les massacrés à coups d'outils de cuisine, le cœur percé d'un tire-bouchon, la gueule encastrée dans une cocotte, la tête dans le micro-onde.

Certaines images m'étaient familières, soit parce qu'elles sortaient de mes reportages, soit parce qu'elles avaient fait la une d'un Goopeal. Mais dans l'ensemble, je dois bien l'avouer, quatre-vingt-dix pour cent des morts qui défilaient sous mes yeux ne me rappelaient rien.

Après plusieurs heures, j'avais mis de côté soixante-six reportages dont j'avais pu recouper les infos sur la base d'archives ouvertes de l'OSPD. Soixante-six victimes, hommes et femmes mélangés, plutôt jeunes (entre vingt et trente ans), ayant été vidés de tout ou partie de leurs organes. Pour vingt-sept d'entre eux, nous avions une identité... pour les autres, c'étaient des clandestins sans histoire dont tout le monde se foutait.

Plus j'accumulais d'informations, plus je me demandais pourquoi ni les flics ni les journalistes, n'avaient jamais fait le lien entre toutes ces affaires. Et puis, je me suis dit qu'au milieu des onze mille deux cent trente-sept meurtres annuels de Ouang, ces soixante-six là ne valaient pas grand-chose. D'autant plus que mis à part la découverte de leurs corps, il n'y avait pas d'histoire à raconter. C'étaient des non-sujets... simplement des images tampons entre deux reportages sur le Hot News.

Valencia avait raison : se faire tuer à Ouang Schock quand on est pauvre et sans papier n'a aucune espèce d'importance.

Toujours est-il que j'avais maintenant devant moi de quoi commencer mon travail. Jusque-là, je n'avais que les belles paroles de Quinte, de Lautre et de Valencia… et je me méfie des paroles, car elles volent et se posent au hasard, mais ne restent jamais bien longtemps en place.

J'avais également l'angle de mon reportage. Et celui-là, il allait cartonner.

Je suis sortie me chercher un café. À côté de la machine, il y avait quelques collègues qui m'ont saluée de la tête, sans quitter des yeux l'écran de contrôle où l'on diffusait la pendaison des trois assassins du « Hibou de Nuit ». Je me souviens de ce moment avec précision, car la seule réflexion que je me suis faite à ce moment-là a été : « Tiens, il est 8 heures. »

*« Télé7, 23 heures 15, l'heure de* Confrontation, *l'émission-débat présentée par Patrick Salt Other.*

*– Bonsoir. La conférence bioéthique qui s'est ouverte ce matin au Centre International des Congrès de Ouang Schock, nous amène à nous interroger sur l'avenir de la médecine moderne. Nous voyons aujourd'hui deux écoles s'affronter : l'une met en avant les nanotechnologies comme solution d'avenir, tandis que l'autre prêche pour le clonage thérapeutique. Avec*

*moi ce soir sur le plateau pour tenter de se faire une idée et de comprendre les enjeux de cette conférence, Ethan Hawk, professeur de nanotechnologie cardiaque à l'université Barnard et Melinda Cheu, directrice de la Recherche et Développement de Gen Technologies.*

*— Bonsoir Ethan.*

*— Bonsoir Patrick.*

*— Alors Ethan, votre avis sur cette conférence ?*

**Ethan :** *Je crois qu'il est très important de rappeler aux téléspectateurs ce qui se joue exactement dans cette conférence. Il ne s'agit pas d'une énième rencontre opposant chercheur et philosophe sur des questions purement intellectuelles. Non, aujourd'hui a débuté à Ouang Schock et à Bagdad une réflexion universelle sur l'avenir de l'espèce humaine.*

**Patrick** : *L'avenir de l'espèce humaine !? N'est-ce pas un bien grand mot ?*

**E** : *Pas du tout, au contraire même. Les récents progrès de la médecine sur les immunosuppresseurs, les molécules qui empêchent le système immunitaire de rejeter le greffon, ont considérablement facilité la chirurgie de greffe. Car si la technique de la greffe est maîtrisée depuis près de cinquante ans, les phénomènes de rejet du greffon rendaient la chose délicate et peu fiable. Aujourd'hui ce n'est plus le cas, et se faire greffer un rein, un foie, une cornée, un larynx n'est plus une prouesse chirurgicale, mais une opération banale.*

**P** : *C'est plutôt une bonne chose, non ?*

**E** : *Oui et non, Patrick. Si la greffe d'organes est un incontestable progrès, sa « démocratisation » pose de manière aiguë le problème de la disponibilité d'organes.*

**P** : *La disponibilité ? Vous voulez dire que nous manquons d'organes ?*

**E** : *Cruellement. Le système aujourd'hui ne peut répondre qu'à moins de 10% % de la demande.*

**P** : *Cela veut-il dire que, alors que la médecine a la capacité de soigner, des malades meurent par manque d'organes ?*

**E** : *C'est exact.*

**P** : *Vous voulez dire quelque chose, Melinda ?*

**Melinda** : *Oui Patrick. Je suis tout à fait d'accord avec Ethan sur l'importance de la conférence même si je n'irai pas jusqu'à dire qu'elle traite de l'avenir de l'espèce humaine.*

**E** : *Il s'agit pourtant de cela, Melinda, mais je comprends bien pourquoi vous ne voulez pas l'entendre…*

**M** : *Je ne vous ai pas interrompu, Ethan, et j'attends que vous respectiez mon temps de parole…*

**P** : *Allons, allons, calmez-vous, Melinda, Ethan ne voulait pas vous manquer de respect.*

**M** : *Bien, alors je continue. La pénurie d'organes est un fait et si la société ne s'organise pas pour répondre à ce douloureux problème, nous risquons de voir apparaître une médecine à deux vitesses : celle pour les riches capables de payer le prix et celle des pauvres qui n'auront d'autres choix que de mourir.*

**P** : *Je vous entends bien Melinda, mais que faire ? On ne peut pas obliger les gens à donner leurs organes ! Ce serait épouvantable.*

**M** : *Nous sommes bien conscients de cela Patrick, et c'est pourquoi nous militons pour le développement du clonage thérapeutique. Et c'est dès aujourd'hui qu'il faut mettre en place l'infrastructure médicale et industrielle pour répondre à ce défi.*

**P** : *Vous ne semblez pas d'accord, Ethan.*

**E** : *Je suis rigoureusement opposé au développement des fermes de clones. Je refuse l'idée de créer une sous-race humaine destinée à fournir à ses maîtres les organes dont ils auront besoin...*

**M** : *Je ne peux pas vous laisser dire ça, Ethan. C'est un mensonge...*

**E** : *C'est vous qui mentez, Melinda, et vous le savez...*

**P** : *Allons du calme, je vous en prie. Nous sommes à l'antenne. Mais avant de poursuivre, et pour calmer les esprits, une page de publicité.*

*La pitié est l'espoir des faibles !*

*Samedi 15 à 20 heures sur Télé7 il n'y aura pas de pitié. Il n'y aura aucun pardon.*

*La Street Fight League débute sa nouvelle saison en direct de l'Arena III et en exclusivité sur Télé7. Ne ratez pas l'événement.*

**P** : *De retour sur le plateau de* Confrontation, *avec Ethan Hawk, professeur de nanotechnologie* *cardiaque à l'université Barnard et Melinda Cheu directrice de la Recherche et Développement de Gen Technologies.*

*Melinda, vous n'êtes visiblement pas d'accord avec la vision pour le moins apocalyptique d'Ethan sur le clonage thérapeutique.*

**M** : *Absolument pas. Ethan tente, malhabilement je dois dire, de donner une vision terrible de la culture de cellule souche. C'est sans doute son côté homme de spectacle qui ressort...*

**E** : *Je ne vous permets pas de m'insulter.*

**M** : *Je ne vous insulte pas.*

**E** : *Je connais vos méthodes, vous niez l'évidence en moquant vos adversaires. Ce sont des méthodes dignes des nazis.*

**P** : *Holà, attention, Ethan !*

**E** : *Désolé, Patrick, mais le sujet est trop grave. On ne peut pas laisser le public dans l'ignorance de ce qui se prépare. Si la conférence accouche d'une proposition visant à faire du clonage thérapeutique la voie d'avenir, nous allons tout droit vers une marchandisation du vivant.*

**M** : *Oh ! je vous en prie, Ethan. Arrêtez avec vos grands mots. Nous savons tous pourquoi vous vous opposez au clonage, c'est uniquement pour mettre en avant les nanotechnologies dont vous êtes le pape.*

**P** : *Avant de répondre, Ethan, j'aimerais que l'on précise pour les téléspectateurs ce que sont les nanotechnologies.*

**E** : *Les nanosciences et nanotechnologies peuvent être définies a minima comme l'ensemble des études et des procédés de fabrication et de manipulation de structures, de dispositifs et de systèmes matériels à l'échelle du nanomètre, c'est-à-dire le milliardième de mètre. Rapportées à la médecine, les nanotechnologies sont des nano robots injectés dans le corps humain avec mission de détruire de l'intérieur tous les dysfonctionnements physiques. En clair, les nanotechnologies sont l'avenir d'une médecine préventive, économe et humaine tandis que le clonage thérapeutique n'est que le prolongement, en plus cher, de la médecine traditionnelle : peu importe la santé des individus du moment qu'ils aient les moyens de se soigner.*

**M** : *Arrêtez, mais arrêtez avec votre discours, Ethan. Comment osez-vous dire que vos robots ne coûtent rien ? Ils sont chers à produire et encore plus chers à maintenir. Lorsque vous aurez une de ces machines dans le corps, vous serez entièrement entre les mains des industriels qui les fabriquent. De plus, il est encore trop tôt pour affirmer que les nanotechnologies sont sans danger sur la santé humaine.*

**P** : *Vous pensez, Melinda, qu'il faut utiliser le principe de précaution ?*

**M** : *Tout à fait, Patrick...*

**E** : *C'est l'hôpital qui se moque de la charité. Si l'on avait tenu compte de ce principe, jamais les théories géniques n'auraient pu être mises en application et le clonage thérapeutique n'existerait pas.*

**M** : *C'est faux, Ethan...*

**P** : *Je suis désolé, Melinda, mais le temps qui nous est imparti est arrivé à son terme.* Confrontation *reviendra la semaine prochaine sur le thème* OGM *et nourriture Allal en présence de Ali Boubaker, recteur de la grande mosquée et Anton Dvorjak, directeur du développement d'Anima Funds Foods.* »

Miutu se triturait la lèvre inférieure, signe chez elle d'une grande concertation. Elle avait écouté mon histoire sans m'interrompre et j'attendais maintenant sa réaction. Je savais qu'elle était de bons conseils, d'une discrétion absolue, et j'avais besoin de tester mon plan.

*A priori*, c'est-à-dire à l'abri de ma petite cervelle, il était parfait. Passé à la moulinette de Miutu, serait-il toujours aussi brillant ? À voir.

Elle a cessé de se distendre la lèvre, allumé une cigarette et posé les pieds sur son bureau.

– Ça peut marcher, Ashelle. Ça peut même faire de toi une vraie journaliste, mais c'est un projet dangereux, car il est toujours difficile d'être à la fois juge et partie. D'autant plus lorsque cela te touche d'aussi près.

– Je sais. J'ai retourné le problème sous toutes les coutures, mais je ne vois pas d'autre possibilité. Si je fais un reportage standard, je ne pourrai pas sortir autre chose que des généralités et quelques images-chocs volées au Vigilants ou dans la base archive. Ça fera du bruit pendant deux ou trois jours, et puis ce sera fini. Si, par contre, je m'implique personnellement, si je deviens le personnage central, alors j'ai une chance d'approcher la réalité et sa complexité. Et là, je suis sûre et certaine de sortir un vrai bon documentaire.

Miutu a de nouveau attrapé sa lèvre avec ses doigts.

– Qu'est-ce qui te pousse à faire ce choix, Ashelle ? L'envie de devenir journaliste ou le désir de sauver ton père ?

J'ai hésité une seconde avant de lui répondre. Je pouvais lui dire la vérité ou lui débiter le petit texte que je m'étais préparé pour l'occasion.

– Si tu me demandes si je suis prête à utiliser l'agonie de mon père pour faire un beau reportage, je te réponds oui ! Je suis prête à me servir de sa mort pour devenir quelqu'un. Si tu me demandes si je suis prête à me servir de mon travail pour sauver mon père, je te réponds également oui ! S'il fallait me vendre pour le sauver, je le ferais. Alors, suis-je une véritable salope ou une fille formidable ? Je n'en sais rien. Et je m'en fous ! Qui me jugera ? Mon père s'il s'en sort ? Le public ? Aujourd'hui, je dois répondre à deux questions : suis-je prête à tout pour sauver mon père ? Oui ! Suis-je prête à tout pour favoriser ma carrière ? Oui ! J'ai fait mon choix.

– Qu'attends-tu de moi ?

– Que tu m'autorises à utiliser l'équipement d'ombre.

– Rien que ça ! Et pourquoi te ferais-je cette fleur ? Qu'est-ce que j'y gagne ?

Je l'ai regardée avec un sourire.

– Rien. Si ce n'est le plaisir de pouvoir, une fois dans ta vie, donner ton visa à un vrai reportage.

– Tu es une salope, Ashelle, et c'est pour ça que je marche. Mais je veux tout voir au jour le jour.

– Tu ne me fais pas confiance ?

– Je prends un risque, Ashelle ; alors, je veux savoir s'il en vaut le prix. Nous aurons rendez-vous ici tous les soirs après le Goopeal de vingt-deux heures. Et ce n'est pas négociable.

L'équipement d'ombre est une veste faite d'un tissu en fibres optiques. Une caméra en forme de vêtement, une beta numérique avec des poches et une doublure en simili soie. Un outil du diable car il filme sur trois cent soixante degrés, avec une qualité d'image irréprochable sans que votre interlocuteur ne puisse jamais se douter de quoi que ce soit. Comment imaginer en effet que le col, le bout des manches, le revers des poches, les plis de la veste que porte la personne qui vous fait face est l'objectif d'une caméra ?

Il en existe trois exemplaires dans le monde et Télé7 en possède un. On ne l'utilise jamais car le traitement des images est complexe et surtout très onéreux. Chaque plan est reproduit douze fois sous douze angles de prise de vue différents. La veste d'ombre est donc le prototype du gadget qui nous avait tous fait fantasmer pendant un mois, puis avait été relégué au rayon des bonnes mauvaises idées.

De toute façon, les dernières générations d'e-Me offrent une qualité d'image et de miniaturisation telle que la veste d'ombre ne sert pas à grand-chose pour effectuer un reportage en caméra cachée.

Mais là, j'en avais besoin pour mener à bien mon travail. Car j'avais bien réfléchi ces derniers temps et j'en étais arrivée à la conclusion suivante : malgré toute l'aide que pourraient m'apporter Valencia, Cassidy ou Lautre, je ne pourrais jamais pénétrer au plus profond de la réalité du trafic. Je devais devenir moi-même une partie du trafic pour pouvoir remonter aux sources, comme me l'avait demandé Quinte.

Avec l'argent de mon pari sur le combat, j'allais partir à la recherche d'un rein et d'un poumon pour mon père. Les chercher et les trouver ! Quitte à devoir mettre la tête et les oreilles dans la merde des sous-sols de Ouang. Et dans ces sous-sols, je me voyais mal sortir mon e-Me pour obtenir les images dont j'avais besoin... si tant est que mes cibles m'aient autorisée à les approcher avec l'appareil dans ma poche.

# 8

MYLOCK ne m'avait pas quittée... du moins n'était-il pas parti uniquement à cause de moi. Même si je n'avais pas su le retenir. Mon incapacité à conserver un homme après les six mois fatidiques. Non, il était parti parce que, disait-il, il ne supportait plus de vivre dans une ville dictatoriale.

– Toi tu t'en fous, Ashelle. La seule chose qui compte à tes yeux, c'est de voir ta tête à l'écran et gravir les échelons de la célébrité. Que tout le système soit basé sur l'oppression et le mensonge ne te touche pas.

– Pourquoi passes-tu ton temps à râler contre le système, mon ange ? S'il ne te plaît pas, tu n'as qu'à partir. Personne ne te retient. Et c'est peut-être la preuve que nous ne vivons pas dans une dictature...

Ce jour-là, j'aurais mieux fait de me taire. Mylock m'a regardée, s'est levé et j'ai vu pour la dernière fois son tee-shirt blanc glisser sur son torse et son ventre lisse. Il ne m'a même pas dit au revoir, il est juste sorti.

Dix jours plus tard, sans nouvelles de lui, je demandais au commissaire Cassidy s'il ne pouvait pas le localiser. Cassidy m'apprit que Mylock avait quitté Ouang avec un visa de longue durée pour l'Islande, le jour même où nous avions parlé pour la dernière fois.

Je ne sais pas si l'on peut dire que Ouang Schock a un régime politique. À moins de considérer le jeu, le fric, le sexe et la violence comme un régime politique. Parce que ce sont bien les seules choses qui comptent à Ouang : les touristes doivent perdre leurs économies dans les bras mécaniques des bandits manchots, se faire branler à blanc par les bouches expertes des filles du Lulubelle ou reluire de plaisir dans les caves rouges et blanches du Gay Pigale, goûter au sang qui gicle et frappe en gouttes épaisses les visages des premiers rangs de la Street Fight, se crever les yeux sur les billes d'ivoire du plateau magique de la roulette, se faire péter la panse à coup de pinces de homard en montagne orange sur le buffet de la salle à manger de l'hôtel à mille deux cent trente-sept chambres, friser l'arrêt cardiaque sur le « *flap* » du dix de cœur qui se retourne sur la feutrine verte de la table en demi-cercle du black jack, dévorer les abdominaux, les fesses lisses et les verges sublimes des gogos-dancers pour retraitées de Floride... Ça tourne vingt-quatre heures par jour et trois cent soixante-cinq fois par an à Ouang Schock et ça ne doit jamais s'arrêter. C'est notre gagne-pain, notre fortune, notre vie. Et la seule politique de la ville est que cela fonctionne sans grain de sable.

Doit-on s'en plaindre ? Honnêtement, je ne le crois pas. Personne ne vous oblige à rester à Ouang Schock ni à y travailler. Tant que vous avez de l'argent, vous êtes libre de faire ce que vous voulez. Et même quand vous n'avez plus un rond vous pouvez faire ce que bon vous semble à partir du moment où vous ne gênez pas le mouvement.

Il y a quelques lois à Ouang Schock. Surtout des lois sur la sécurité et la conduite. Pour le reste, tout est autorisé du moment que ça rapporte et que le patron du business en question paye sa dîme aux autorités. Pas des masses : aux alentours de dix pour cent. De quoi financer les salaires des flics. Pour le reste, tout est privé : vous payez pour vos ordures, pour votre eau, votre électricité, vos soins médicaux, pour stationner, pour utiliser les Circles, pour envoyer vos mômes à l'école, pour vous faire enterrer, pour aller en prison... tout est business je vous dis ! La concession pour une durée de vingt ans de la dernière ligne de SUB (le réseau de transport souterrain) a été vendue un milliard trois cent dix-sept millions à une compagnie indienne par le GCA.

# 9

ON L'APPELLE Grand Chelem à cause de sa droite. D'un seul coup de l'enclume de son poing, il est capable d'exploser une arcade, ratatiner le nez et casser les deux dents de devant. Un tour de force que certains sont prêts à payer cher pour récupérer une dette ou assouvir une jalousie. On disait même qu'il lui arrive d'accepter des contrats venus de l'OSPD. Mais je ne connais personne qui ait jamais osé le lui demander. C'est Grand Chelem quand même.

Je le connais depuis de nombreuses années parce qu'il est une des « petites » figures du milieu, mais cela ne fait pas de nous des intimes. Loin de là.

Je l'avais recroisé avec Cassidy dans l'affaire Fat. Il n'était pas directement impliqué, en ce sens qu'il n'avait pas de sang sur les mains. Mais s'il avait été embarqué, il aurait eu droit à cinq ou six ans de trou au moins. Je brûlais d'envie de le coller dans mon reportage, car il a une tête néanderthalienne effrayante qui le désigne sans conteste comme une crapule de bas étage. En termes d'audience, cela aurait été impeccable. D'autant plus que j'avais une scène où il pleurnichait et bredouillait comme un môme pris en faute devant les flics. La prison le terrorisait.

Mais le commissaire Cassidy m'avait demandé de l'oublier.

– Chelem est un sous-fifre, Ashelle. Un moins que rien.

– Enfin, commissaire, il surveillait ces femmes qui ont été avortées de force.

– Que ce soit un pourri ne fait pas l'ombre d'un doute, mais il n'est pas un rouage essentiel de cette affaire. Chelem, c'est une statistique. Une arrestation de plus...

– Ce n'est pas votre boulot de foutre les pourris au trou ?

– Pour mettre les vrais pourris au frais, ceux qui tirent les ficelles, ceux qui inventent ces saloperies, j'ai besoin de plusieurs Chelem en liberté. Ces types sans intelligence et sans estomac que je tiens d'une manière ou d'une autre et qui me renseignent lorsque je les sollicite.

– Des indics, quoi.

– C'est cela. Et toi aussi tu as besoin d'indics. Alors passe un marché avec Chelem. Promets-lui de ne jamais utiliser ces images en contrepartie d'un service à venir.

J'avais écouté Cassidy et aujourd'hui je m'en félicitais.

Je savais où avoir une chance de retrouver Grand Chelem et j'étais donc allée boire un verre du côté de Saynone Barheim, le marché aux puces du quartier manouche au sud des docks.

J'aime bien l'endroit, et je ne suis pas la seule, vu le nombre de touristes qui s'y baladent en quête de la bonne affaire qu'il est impossible de trouver. J'y viens souvent le dimanche pour y prendre un petit-déj' sur l'une des terrasses des anciens entrepôts.

L'endroit, du moins dans son aspect extérieur, n'a pas changé depuis le début du XX^e^ siècle, date de sa construction.

On y arrive en remontant Whimpole et ses maisons vertes, ses façades rouges, ses murs bleus, ses pavillons mauves, son nuancier géant avec les fringues pendues aux fenêtres et les pavés ronds au sol. Après, il suffit de se laisser aller dans les ruelles tordues, suivre les rails encore présents au sol bien que les petits trains de déchargement aient disparu depuis plus de soixante ans, dériver le long des caniveaux humides, bouchés de papiers gras des fast-foods, de gobelets cartons et de mégots de pétards. Se frayer un chemin dans la foule et la musique hurlantes des magasins à coup d'épaule en se gaffant pour son sac à main et la monnaie de ses poches. Remonter les effluves de fritures des marchands d'oignons frits, de canards laqués et de nouilles sautées.

J'avais beau être un peu inquiète à l'idée de me retrouver face à Grand Chelem, je n'ai pas pu m'empêcher de jeter un œil chez Ali. Il a un magasin qui, de l'extérieur, ne paye pas de mine. Une porte simple et vitrée au milieu d'une grande façade de pierres rouges et noires, avec peint en vert et rouge par-dessus un grand commercial Tsing Tao. À la caisse, juste après la porte, il y a toujours une très jeune et jolie fille qui se change jusqu'à trois fois par jour pour bien mettre en valeur les dernières rentrées d'Ali.

Quand je suis entrée, debout aux côtés de la fille, il y avait Moïse... un grand noir qui a été, je crois, champion de lutte dans son pays, au Sénégal. Un mastard à la peau lisse et douce, avec sur les joues de chaque côté du visage des scarifications rituelles. Un très bel homme, gentil et cultivé. J'ai toujours eu un faible pour lui et s'il lui venait l'idée de me chanter le guilledou, je crois que je ne résisterais pas longtemps. Ce n'est pas que je sois attirée par les noirs, mais Moïse a ce quelque chose qui fait que les femmes ont envie de mettre la main au feu.

Je le connais depuis des années. Il tient une salle de musculation dans le quartier moderne et un bon paquet des artistes de la Street Fight vient se décrasser chez lui.

— Tiens, voilà la môme macchab.

– Bonjour, Moïse.

– Qu'est-ce que tu viens faire là ?

– Comme toi, mon grand : regarder les fringues.

– Tu t'intéresses aux vêtements, toi ? Première nouvelle.

Moïse n'avait pas tort, question vêtements, on ne peut pas dire que je sois très fille. Mais si un jour je décidais de le devenir, je m'habillerais exclusivement chez Ali.

– Je suis une femme, je te signale.

– Ça, je l'ai toujours su, Ashelle. Tu as une silhouette de rêve. Je le sais d'autant mieux que je t'ai vue à la salle... Ton seul problème est que tu préfères t'habiller en sac à patates plutôt qu'en femme.

Sa réflexion m'a un peu vexée.

– Tu trouves que je suis mal habillée, là ?

Des mains, je lui désignais mon jean, ma chemise et la veste d'ombre.

– Si tu étais camionneur, ce serait impeccable, ma belle. Mais si tu comptes attirer le mâle avec ta tenue, tu te mets le doigt dans l'œil.

– Peut-être que je cherche un mâle comme tu dis, qui soit plus intéressé par ce que je suis à l'intérieur qu'à l'extérieur.

– Ça n'a rien à voir. Quand je te vois habillée comme ça, j'ai envie de te payer une bière et de te parler bagnole. Certainement pas d'essayer de te draguer.

– Ça tombe bien, je n'ai aucune envie de passer une soirée avec toi.

– C'est Mylock qui doit être content. Une petite femme bien fidèle.

– Je n'ai pas vu Mylock depuis des mois.

– Ah... Désolé pour la gaffe.

De la main, je lui ai fait signe que cela n'avait aucune importance, et je suis entrée dans la caverne d'Ali.

Une demi-heure plus tard, je suis ressortie sans rien avoir regardé. Je m'étais juste enfermée dans les toilettes pour pleurer un bon coup et m'observer longuement dans la glace. Je n'étais pourtant pas laide : des cheveux bruns, coupés courts et légèrement décoiffés, un visage en ovale, une bouche moyenne, mais bien rouge, deux yeux bleus avec des petites paillettes d'or dedans. J'étais bien faite, des jambes fines, des seins ronds et des mains avec de longs doigts... alors que fallait-il faire pour qu'on me prenne pour une femme ? Que je m'habille court ? Que je pousse de petits cris à tout bout de champ ?

Je n'arrivais pas à comprendre ce que les uns et les autres entendaient par mon manque de féminité. J'avais pourtant essayé d'être une fille : au départ parce que je l'étais, puis pour faire plaisir à mon père, mais sans doute avais-je manqué d'exemple. Quand votre mère se fait la malle si tôt que vous n'en gardez aucun souvenir, c'est difficile de se forger une image.

Le plus comique dans l'histoire, si l'on peut parler de comique, c'est que sur le net, il y avait quelques sites montrant des fakes pornos de ma pomme. Des fans qui collaient ma tête sur des corps nus extrêmement suggestifs. Des collègues anonymes à Télé7 m'envoyaient souvent ces photos... moi, les jambes largement écartées, prise par un ou plusieurs hommes... enfin, toute la gamme des fantasmes à deux balles du mec frustré.

Quand je suis arrivée au Slice Kimbo, le bar où Grand Chelem et les types dans son genre se retrouvent, j'avais encore en tête la dernière série de fakes dont je faisais l'objet. Si c'était à ça que je devais me conformer pour être une femme, alors je préférais rester ce que j'étais.

Le Slice Kimbo est un bar que je déconseille à quiconque n'est pas introduit dans ce milieu. Rien que la ruelle dans laquelle il faut s'enfoncer pour y arriver est déjà un coupe-gorge. Étroite, sombre, humide et se terminant en cul-de-sac sur l'entrée du Slice Kimbo.

C'est l'antre de ceux qui trouvent que la Street Fight est un sport de gonzesse dénaturé par le fric et la télé. Pour eux, les seuls combats qui vaillent sont ceux qui se tiennent dans les arrière-cours des pavillons de banlieue, avec deux adversaires, un public et pas d'arbitre.

Au début, les combats étaient filmés et diffusés sur le net, mais les amateurs ont rapidement mis le holà à cette dérive car les images amenaient des fans, les fans ramenaient de l'argent et l'argent amenait les producteurs. Aujourd'hui, il n'y a plus une seule image de ces combats et je défie quiconque d'essayer d'en tourner une seule. À l'époque où je travaillais aux sports, mon mentor m'avait emmenée en voir un, en vrai... j'ai tout de suite attrapé le virus et depuis, j'en ai suivi un paquet. Entre nous, je suis d'accord avec ces types : la Street Fight c'est juste bon pour les paris, parce que pour le spectacle et l'émotion, rien ne vaut les Rumble Kimbo. D'autant plus qu'ils sont strictement interdits par la loi... forcément ! Ouang Schock ne peut pas accepter un spectacle sans images et sans droits.

Imaginez une cour herbeuse camouflée par la maison et une barrière de bois de deux mètres cinquante de haut. Les poubelles dans un coin et les vieux vélos tout pourris qui croupissent un peu plus loin. Les fils pour le linge, les fenêtres de la cuisine avec sur le rebord les bidons presque vides d'Ajax et d'Antikal qui reposent sur une serpillière couleur vomi. Et puis, une cinquantaine de types et de femmes serrés les uns contre les autres entourant les deux guerriers qui s'affrontent. Ils sont l'un en face de l'autre, torses nus, les poings vierges et ils frappent. Tous les coups marquent et le sang qui coule n'espère aucune éponge, aucun coton. Il y a la sueur et le bruit sec et mat des phalanges qui s'écrasent sur une pommette, les ahanements de celui qui encaisse et qui souffre, le souffle des poumons qui se vident sous la violence d'un coup de genou dans l'estomac. Le regard de celui qui sent la victoire et celui, plus génial encore, du gars qui comprend qu'il va perdre et qui cherche au plus profond de son esprit et de son ventre l'ultime rage qui pourrait le sauver, mais qu'il ne trouvera jamais car il n'y a que dans les films que le perdant peut s'en sortir d'un dernier coup de reins.

C'est dur, c'est violent, c'est sans pitié ! C'est Ouang Schock et c'est comme ça que j'aime cette ville.

Le bar en lui-même ressemble à une tanière de bikers : des posters crados aux murs, un tiers de motos, un tiers de groupes de rock sudistes, un tiers white Power... des conneries, quoi. Au fond, le bar sur toute la longueur, des tables et des chaises de bois grossier, un billard et une piste de danse avec une barre pour que les filles puissent se déshabiller en tenant la rampe. C'est sombre, et obscurci encore davantage par la fumée de cigarette et les buées d'alcool, avec comme seul éclairage les écrans plasma qui diffusent du porno et des courses de motos. La musique quant à elle était standard : quand je suis rentrée, il passait un vieux classique : *Die mother fucker die*, de Dope. Un groupe des années 2010.

J'ai la chance d'être connue là-bas... je veux dire qu'ils me connaissent comme une amatrice de Rumble Kimbo plutôt que comme journaliste à Télé7. Certains savent que je suis protégée par Cassidy, d'autres m'ont croisée chez Moïse et les derniers jettent un œil interrogatif à leur copain en me voyant puis se calment au signe de tête ou à une courte phrase du genre : « Ça va, elle connaît. »

N'empêche, je n'aime pas beaucoup me retrouver seule dans un endroit comme celui-là. Ces hommes sont plus proches du fauve que de l'humain. Je sais qu'il ne leur faudrait pas grand-chose pour me sauter dessus et me violer ou me tuer. Pour être tout à fait honnête, je ne déteste pas cette petite angoisse qui me trifouille l'estomac dans ces moments-là. Curieusement, j'ai l'impression de vivre.

J'ai repéré Grand Chelem au bar avec trois autres types. J'étais vernie.

Lui aussi m'avait aperçue et il m'a jeté un drôle de regard. Moitié étonné, moitié mauvais.

– Bonjour, Chelem.

– S'lut...

– J'ai besoin de te parler.

– Je t'écoute.

– Je préférerais qu'on se mette à une table. C'est un peu personnel... une sorte de service.

Il a haussé les épaules et m'a suivie. Un de ses potes a lancé la grosse vanne à laquelle je m'attendais.

– Quand tu auras fini avec elle, Chelem, tu me la gardes au chaud.

Les autres se sont marrés et Chelem et moi sommes allés nous asseoir sans rien dire.

J'avais préparé mon petit discours et m'était concocté la cuirasse qu'il fallait pour obtenir l'effet escompté. Avec un type comme lui, le charme, les larmes ou la douceur n'ont aucune chance. Il faut aller droit au but.

– Mon père est en train de claquer, Chelem. Un problème aux reins et au poumon.

– C'est douloureux ?

– Je ne sais pas. Et puis avec la morphine et tous leurs machins, je crois qu'il ne sent plus rien.

– Ah bon... alors, ça va.

– Non, ça ne va pas Chelem. Je n'ai pas envie que mon vieux crève, tu comprends ? Je tiens à lui, je n'ai plus personne d'autre.

– Ça te regarde : je ne suis pas toubib.

– Il a besoin d'une greffe très rapidement. Il faut que tu m'aides.

Il a eu un méchant sourire.

– Je ne te passerai jamais un de mes reins, gamine... je n'en donnerais même pas un à ma mère, tu comprends. Ce qui est à moi, je le garde et je t'emmerde.

— Et moi, je te pisse à la raie, connard. Maintenant, tu la boucles et tu m'écoutes ou je file à Télé7 et je diffuse mon beau reportage où on te voit chialer à mort devant Cassidy pour qu'il ne t'emballe pas.

S'il avait pu, il m'aurait tuée sur le coup. Mais même ici, c'était un peu risqué.

— J'ai gagné un gros paquet sur la finale et j'ai de quoi payer l'opération pour mon père. Seulement, il me faut des organes. Si je passe par la voie officielle, il sera mort et enterré le jour où ils arriveront. Alors, je viens te voir pour que tu me mettes en contact avec ceux qui fournissent ce genre de service, ceux qui savent où trouver un rein ou un poumon dans des délais très brefs.

— Je connais rien à ce binz-là, moi. Je ne peux pas t'aider.

— Eh bien, tu vas te remuer mon grand, parce que si ce soir je n'ai pas de tes nouvelles... et de bonnes nouvelles, je balance mon reportage. C'est compris ?

Il y a eu un moment de silence.

— On va jouer cartes sur table, gamine. Les gens que tu cherches n'aiment pas les journalistes, mais alors pas du tout. Et ça va être coton de leur faire accepter ta demande. Alors quand on se reverra, tu viendras avec les bandes du reportage. Sans cela, tu pourras toujours te consoler en te disant que ton vieux n'aura pas souffert. C'est clair ?

– T'es vraiment un gros crétin, Chelem. D'abord, tu ne leur diras pas que je suis journaliste. Je ne suis pas encore suffisamment célèbre pour que ma tronche leur dise quelque chose. Pour les bandes, je peux t'en apporter dix, quinze, vingt si tu veux ; qui te dit que je n'en aurai pas une copie ?

Dans son œil, j'ai vu que son cerveau venait de faire tilt.

– Voilà ce qu'on va faire, Chelem. Tu n'es pas suffisamment médiatique pour que ça me rapporte quoi que ce soit de te diffuser à l'antenne. Rends-moi ce service et je te jure de t'oublier à tout jamais. Je peux t'assurer que ça ne sera pas trop dur... tu n'as jamais été mon genre.

– OK... je te fais confiance, gamine. Mais gare à ton cul si tu me plantes.

Transcript d'écoute 112/57
FYEO : Romitz OSPD / Bao-Belenguer S7

Appel : 879 542 892 112
Recevant : 547 896 621 555

15 h 30
**Appel :** Ça y est, Monsieur. J'ai rencontré la fille.
**Recevant :** Et alors ?
**A :** Je lui ai dressé le portrait convenu sans entrer dans les détails. J'ai insisté sur le côté obscur de l'affaire, la mafia, le grand banditisme. Largement de quoi attiser son intérêt et lui donner l'envie de prendre des risques.
**R :** Les a-t-elle pris ?
**A :** Oui. Par une source étrange, mais fiable... du moins fiable dans les contacts qu'elle lui a fournis. L'individu en lui-même est un minable à la petite semaine.
**R :** Y a-t-il un danger potentiel avec lui ?
**A :** Non. Il ne dira rien. Il connaît les risques.
**R :** Hum... Je vous laisse seul juge. Mais vous connaissez ma position sur le sujet. Moins il y a de témoins, plus sûr est le secret. Mais bon, je vous fais confiance. Et elle, vous la surveillez toujours ?
**A :** Nous avons toujours un homme sur elle.
**R :** Combien d'agents sont affectés à sa surveillance ?
**A :** Huit.
**R :** Quel motif leur avez-vous donné ?
**A :** Défense du territoire... de toute façon, il n'y a pas d'ordre de mission. Aucune trace.

**R :** Très bien. Je vous ferai parvenir les documents dans les prochains jours.
**A :** Très bien.
**R :** Au fait, je n'ai toujours pas reçu le rapport de filature.
**A :** Je ne l'ai pas encore terminé. Je le dépose sur le serveur habituel dans la soirée.
15 h 37

Vu JQ

Transcript d'écoute 121/67
FYEO : Romitz OSPD / Bao-Belenguer S7

Appel : 547 896 621 555
Recevant : 598 254 777

15 h 46
**Appel :** Maitre Miron ?
**Recevant :** Lui-même.
**A :** Alexandre Lautre à l'appareil.
**R :** Comment allez-vous cher ami ?
**A :** Fort bien, et vous-même ?
**R :** Ma foi, je ne peux pas me plaindre. Au fait, je vous remercie pour votre intervention.
**A :** Ils ont accepté ?
**R :** Je suis leur nouvel avocat-conseil.
**A :** Félicitations.
**R :** Sans vous, je n'aurai pas emporté la mise, mon cher ami.
**A :** Ne me donnez pas plus d'importance que cela, Maître. Je me suis contenté d'être le passe-plat. Si vous n'étiez pas le meilleur, ils ne vous auraient jamais confié leur défense. Ces gens-là ne placent pas les sentiments au-dessus de leurs intérêts.
**R :** Vous êtes beaucoup trop modeste, Alexandre. Je ne l'oublierai pas.
**A :** Bah, n'en parlons plus.
**R :** J'espère vous avoir à la maison très rapidement.
**A :** Avec plaisir... Au fait, pour ce dont je vous ai parlé...

**R :** Mon client à Gia ?
**A :** C'est cela. Vous pouvez lancer la procédure.
**R :** Ce sera fait dans la journée.
**A :** Je vous remercie.
**R :** C'est la moindre des choses.
15 h 55

# 10

*« Goopeal monde avec Robert Wang Cheun May, l'actualité internationale en quinze minutes. Au cent-huitième jour de combat, les armées colombiennes et équatoriennes ont lancé ce matin une vaste opération combinée sur Caracas. La ville défendue par les forces armées vénézuéliennes soutenues par les FARC en est à sa troisième semaine de siège. Le Pentagone a rappelé ce matin sa détermination à maintenir en place la force d'interposition déployée sur les champs pétrolifères / Ouverture ce matin à Washington du procès pour fraude fiscale de Walter Kempf, l'ancien secrétaire général de l'ONU. À ce sujet, John Bishop Langley, le représentant américain à l'ONU, a déclaré : « C'est bien la preuve que cet organisme ne devrait pas être dirigé par des représentants de pays ne comptant pas sur la scène internationale. Il n'y a qu'un pays capable aujourd'hui d'intervenir pour la paix dans le monde et ce sont les États-Unis d'Amérique. L'ONU devrait passer sous le contrôle plein et*

*entier du gouvernement américain » / Le TPI a rendu son verdict dans l'affaire du crash de l'Airbus A457 de la compagnie El Al en avril 2042 au sud de l'Angola en condamnant par contumace à la réclusion criminelle à perpétuité les colonels de l'ISI Muhammad Ali Jinnah et Karim Al Buttho. Le gouvernement pakistanais a immédiatement contesté ce verdict et appelé la communauté internationale à ne pas tomber dans « cette vile propagande sioniste » / Nouveaux heurts sanglants à Bangu, la prison de haute sécurité de Rio, où les forces de l'ordre ont été refoulées des sous-sols de la prison toujours aux mains des détenus / À Bagdad, en marge de la conférence œcuménique de bioéthique, le patriarche Bartholomée II a été victime d'une tentative de meurtre par deux extrémistes sikhs. La bombe placée sous la chaussée de l'avenue menant du centre de conférence à son hôtel a heureusement explosé deux minutes avant son passage, causant la mort de 12 passants et en blessant 124 dont 72 dans un état critique / À la bourse de New York, le titre de USA Telcom a chuté de 72 % entraînant la fermeture immédiate de 12 millions de lignes téléphoniques, dont le 911. Le gouvernement américain a ordonné la création d'une commission d'enquête sénatoriale / Heurts violents entre bandes autonomistes 9-3 et forces de l'ordre dans la périphérie de Paris, la capitale française / C'était Goopeal monde »*

En attendant l'appel de Chelem, j'ai contacté Cassidy pour savoir s'il avait eu le temps de s'occuper de mon affaire. Il n'a pas voulu me parler on-line et m'a donné rendez-vous sur les docks, où il devait passer pour une ultime vérification avant de clore le dossier Fat.

Une demi-heure plus tard, je le rejoignais. Il se tenait au bout de la jetée, seul, avec son e-Me collé à l'oreille et les pattes crème de son manteau qui claquaient au vent devant ses genoux. Au loin, vers le sud-est, on voyait les deux gigantesques miradors de la frontière avec la Chine et le rail ininterrompu des péniches qui remontaient et descendaient le fleuve chargées ras la gueule de céréales quand elles venaient au port et vomissant des produits high-tech quand elles redescendaient vers la frontière. Et tout le long des berges du port, les cheminées grises et mortes des anciennes usines, les grues comme les squelettes oubliés d'une armée d'insectes gigantesques, les blocs rectangulaires des hangars et le pas lent et mesuré des dockers épuisés, les aboiements des contremaîtres et les sirènes langoureuses des relèves de quart. Le bruit mat des essieux fatigués des manitous quand ils passaient sur l'ancienne voie ferrée qui distribuait chaque recoin de la zone, les odeurs mélangées des eaux dégazées et des épices frites des bhelpuri[2] des baraques à roulettes des Pakis. Un coin du passé, les docks, à l'abri encore du regard de Ouang...

2 Friandises épicées vendues à Bombay

Quand Cassidy m'a vue, il a fait un geste de la main m'invitant à le rejoindre.

Il avait la mine grise et l'œil sombre et mauvais. Un air que je lui connaissais et qui n'invitait ni à la gaudriole ni à la conversation de salon.

— Salut, Ashelle.

— Bonjour, commissaire.

Il m'a attaquée d'entrée, sans chercher à prendre des gants.

— Où en es-tu de tes recherches ?

Ce n'était pas exactement le ton d'une question amicale, mais plutôt celui que l'on emploie quand on doit annoncer une mauvaise nouvelle à un ami.

— Pour l'instant, nulle part. Je n'ai commencé que ce matin, je te rappelle.

— Eh bien, restes-en là, ma grande. C'est un truc qui pue.

— Tu as appris quelque chose ?

— Non. Et c'est justement ce qui me fait dire que c'est une affaire qui pue.

— Je ne comprends pas.

— Après ton départ ce matin, parce que je t'aime bien – je me demande d'ailleurs pourquoi –, j'ai fait quelques recherches sur ton histoire.

— Et alors ?

— Alors, rien. Ou plutôt rien d'autre que des rapports de premier constat. Une vingtaine de rapports présentant la découverte de victimes vidées de leurs organes et abandonnées en pleine rue. À chaque fois des inconnus, sans doute des clandestins, hommes ou femmes. Des dizaines de cadavres et aucune instruction derrière.

– Des dossiers classés ?

– Si ce n'était que cela, je ne t'aurais pas demandé de venir me voir ici, Ashelle. Chaque dossier a été transmis dans un premier temps à la brigade des disparitions, suivant la procédure standard. Pour avoir une chance de trouver un assassin vois-tu, encore faut-il connaître l'identité de la victime. Donc, dans le cas de ceux dont on parle, on balance aux « disparus » une demande d'information : soit ils trouvent et l'enquête démarre, soit ils font chou blanc et on classe l'affaire en pertes et profits pour les statistiques. Mais en ce qui concerne ces affaires, il n'y a aucun retour des « disparus », rien. Ni échec, ni réussite ! Simplement une absence totale de réponse. Et ça, ce n'est pas normal.

– Ah ?

– On peut tout dire de la police de Ouang. Qu'elle est corrompue, qu'elle marche sur la tête, que le taux d'alcoolique y est dix fois plus élevé que la moyenne, qu'elle se fout de tout… mais on ne peut pas dire que ses procédures administratives ne fonctionnent pas. Lorsque l'on fait passer une demande officielle, on obtient toujours une réponse. Toujours ! Rater une enquête fait partie du métier. Laisser courir un criminel est acceptable. Ne pas respecter une procédure administrative par contre, peut te coûter cher. Et je t'assure que personne ne s'amuse à ce petit jeu-là.

Comme à son habitude, Wayne Cassidy digressait à plein tube. Mais je le laissais faire.

— Les dossiers et la procédure sont la seule force de la police, tu comprends. C'est parce que nous classons tout, que nous vérifions tout, que nous ne jetons jamais rien et que nous passons notre vie à recouper le passé avec le présent, que nous avons une chance de prévenir les crimes à venir. Le plus stupide des policiers de base connaît cette règle. Alors, nous avons mis en place des procédures, des procédures et encore des procédures, pour être sûrs et certains de ne jamais rien oublier. Un grain de sable dans cette belle machine et c'est un criminel qui nous échappe. Voilà pourquoi je te dis que ton affaire pue. Un dossier qui s'égare, c'est étonnant, mais possible. Vingt dossiers qui ne reviennent pas des « disparus », ce n'est pas un égarement... c'est une volonté délibérée.

— Tu penses qu'on essaye d'étouffer l'affaire ?

— Je ne pense rien, Ashelle, ce n'est pas dans mes cordes. J'ai appelé un copain aux « disparus » qui m'a confié sous le sceau du secret que toutes les demandes étaient parties à la section 7.

— La section 7 ? Qu'est-ce que c'est ?

— Une épine politique dans nos chaussettes à clous, ma belle. Une cellule officieuse qui enquête en sous-main, sans jamais procéder à la moindre arrestation.

Je n'ai pas parlé de Valencia à ce moment-là. Je préférais garder cette carte dans ma manche et jouer la naïve. Cassidy continuait à parler.

– En règle générale, lorsque la section 7 intervient, c'est qu'il y a une huile mêlée à l'affaire... une huile ou un intérêt supérieur de la Nation, comme on dit dans ces moments-là. Enfin, une affaire dont on ne veut pas que les conclusions arrivent aux oreilles des petites filles dans ton genre. La section 7 travaille sur ce qui se trouve sous la vase du crime... Et si la section 7 enquête sur tes inconnus, cela veut dire qu'ils doivent le rester pour toujours. Ne te mêle pas de cette affaire, Ashelle, tu n'en sortiras pas intacte.

J'ai volontairement laissé passer un silence. Puis je lui ai demandé.

– Tu ne connais personne à la section 7 ?

Il a eu un petit sourire, tout petit. Puis, de la main, il a balayé l'air d'un geste vif.

– Il y a autre chose, Ashelle. Autre chose qui me fait dire que rien n'est clair : les vingt rapports de premier constat ont tous été faits sur une période de deux mois. Comme si subitement, il fallait trouver des organes coûte que coûte. Comme si cela venait de commencer. Comme si c'était une nouveauté.

Les paroles de Valencia me revenaient en mémoire, mais encore une fois, je ne pouvais pas en parler à Wayne.

— Et comme par hasard, chacun de ces rapports a été fait dans un poste et un district différents. À croire que les assassins, ou l'assassin — qui nous dit qu'il y en aurait plusieurs ? — avaient fait en sorte qu'aucune brigade ne puisse lier les affaires les unes avec les autres.

— Je ne comprends pas bien ce que tu veux dire.

— J'ai remonté ces dossiers parce que tu m'as parlé de ton affaire, Ashelle. Si tu ne m'avais rien dit, personne n'aurait jamais su qu'il en existait vingt identiques.

— C'est bien pour éviter ce genre de chose que vous êtes en train de mettre Lock-Face en place, commissaire.

Il a poussé un long et bruyant soupir.

— Peut-être... peut-être est-ce que je deviens trop vieux pour cette ville et que je vois le mal partout. Quand j'ai eu ces dossiers en main ce matin, que j'ai su qu'ils étaient tous à la section 7, je me suis dit : « Voilà quelque chose de planifié. Quelque chose de pas naturel. »

Une longue péniche est passée devant nous. Sur la corde à linge tendue derrière la cabine dansaient des sous-vêtements sans grâce. Juste dessous, deux enfants aux cheveux noirs et raides mangeaient un sandwich beaucoup trop gros pour eux. Wayne Cassidy a levé le menton dans leur direction.

– Fais attention, Ashelle. C'est un gros morceau et tu pourrais t'étouffer.

# 11

C'EST EN REVENANT vers le bureau que j'ai reçu le coup de téléphone. Je dois avouer que j'ai été très surprise.

– Mademoiselle Vren ?

– C'est moi.

– Maître Miron, à l'appareil. Je représente les intérêts de Monsieur Fat.

– Ah ! Je ne vais pas pouvoir vous parler, Maître. La politique juridique de Télé7 est très stricte sur le sujet. Les journalistes n'ont pas le droit de s'entretenir avec les avocats de la partie plaignante. Vous allez devoir prendre contact avec notre service contentieux. Je vais vous envoyer leur numéro.

– Vous vous méprenez complètement, Mademoiselle Vren. Mon client ne m'a pas chargé de vous poursuivre.

– Ah ? Que me veut-il alors ?

— Il veut vous rencontrer. Vous n'êtes pas sans savoir que mon client a connu quelques problèmes lors de son arrivée à Gia.

— J'ai effectivement entendu cela. Mais le Goopeal ne donnait pas de détail ? Comment va-t-il ?

— Physiquement, il s'en sortira, mais il est très affecté psychologiquement. Ses agresseurs l'ont amputé d'une partie... disons très sensible de son anatomie.

— Amputé !? Ah la vache, c'est du sérieux alors !

— On peut le dire, Mademoiselle Vren, on peut le dire. C'est à la suite de cette agression qu'il m'a chargé d'organiser une rencontre. Quand pourriez-vous le voir ?

— Holà, pas si vite, Maître. Dans quel cadre veut-il me rencontrer ? Officiel ou officieux ?

— Que voulez-vous dire par là ?

— Je viens avec une caméra ou les mains vides ?

— Je pense alors qu'il s'agit d'une rencontre officieuse. De toute façon, à moins d'une autorisation écrite de la Chancellerie, les caméras sont interdites à Gia.

— Mises à part les caméras de surveillance, bien sûr.

Miron eut un petit rire faux-cul.

— Hi, hi, hi, très amusant Mademoiselle Vren... Très, très amusant.

— Si je ne peux pas venir avec ma caméra, pourquoi veut-il me voir ? Pour mes jolis yeux ?

— Je crois que Monsieur Fat n'est pas vraiment en état de voir en vous un partenaire de séduction. Je pense qu'il vous regarde plus comme une assurance-vie.

— Il veut que je le protège ?

— D'une certaine manière, on peut le dire. Je crois qu'il veut vous confier certaines choses. Ainsi, s'il lui arrivait à nouveau malheur, vous seriez la dépositaire de ses secrets.

— Ouais... ce que j'entends également, c'est que je deviendrai à mon tour une cible.

— Que voulez-vous dire ?

— Si certains de ses complices n'ont pas hésité à tenter de le faire taire en prison, pourquoi se gêneraient-ils avec moi ?

— Si vous pensez que cela peut être dangereux, vous êtes libre de refuser.

— Je ne refuse pas, Maître. Je demande simplement à pouvoir filmer l'entretien.

— Je vous ai déjà dit que...

— Eh bien, débrouillez-vous pour obtenir une autorisation de la Chancellerie.

— Je n'ai pas ce pouvoir, Mademoiselle.

— Alors, ça ne m'intéresse pas.

— Très bien... Je transmettrai. Mais si jamais vous changiez d'avis, n'hésitez pas à m'appeler.

— Sans problème. Au revoir, Maître.

— Au revoir.

Je me suis demandé en raccrochant si j'avais bien fait de refuser l'entretien avec Fat. Puis après mure réflexion, je me suis dit que c'était la bonne solution. Un journaliste ne peut pas se permettre de rencontrer un taulard sans caméra… ce serait une perte de temps. Maintenant, j'étais quand même intriguée par la demande de Yen Fat. Qu'est-ce que ce pourri pouvait bien avoir à me dire ?

# 12

CHELEM m'a appelée vers 23 heures 30. Je commençais juste à m'endormir et je l'ai silencieusement maudit. Il m'a donné rendez-vous sur Strand View à 1 heure. Cela me laissait le temps de vérifier une dernière fois que ma veste d'ombre fonctionnait bien.

J'ai mis des rangers, un pantalon large et je me suis attaché les cheveux en une petite queue de cheval. En me regardant dans la glace, j'ai bien dû admettre que je n'étais pas très féminine. Mais je mets au défi quiconque de mon sexe de se balader autrement sur Strand en pleine nuit... ou alors seulement pour y exercer le plus vieux métier du monde avec, en sécurité, un bon vieux proxo des familles dans le coin pour éloigner les problèmes.

Le Strand, c'est le cœur de la nuit de Ouang... le vrai, je veux dire, pas celui des touristes. Parce que le leur, il bat sur Smith. Oh, il est peut-être plus lumineux, plus clinquant, mais il ne vaut pas

Strand. Là, on respire la vérité de cette ville, son électricité, son rythme. C'est agressif comme un riff de guitare. Saturé comme un larsen de Marshall. Vivant comme le *Highway to Hell*. Violent, diront ceux qui ne comprennent rien à cette ville.

Moi, j'aime cet endroit, parce que la seule chose que l'on y risque vraiment, c'est de se retrouver face à face avec sa vraie nature. C'est sur Strand que l'on sait si l'on est de la race des seigneurs ou de celle des loosers.

Le jour de mes dix-sept ans, mon petit ami de l'époque m'y avait emmenée pour la première fois de mon existence. Je connaissais l'endroit par ce qu'en disaient la télé et le net, par les remarques de mon père et l'interdiction qu'il m'avait faite d'y aller.

J'étais inquiète, excitée et heureuse. Juste devant le Majestic, le multiplex cinéma, trois types nous étaient tombés dessus pour nous dépouiller de nos blousons et de notre fric. Mon copain n'avait pas bougé une oreille. Tétanisé par la trouille. Moi, j'ai écrasé ma cigarette dans l'œil gauche du type qui s'était penché vers moi avec un petit sourire pour baisser la fermeture éclair de mon flight jacket.

J'ai toujours su qui j'étais.

Chelem était assis sur le capot d'un indu. Quand il m'a vue, il s'est levé en laissant un creux dans la tôle. Le chauffeur du cab a jeté, l'air de rien, un regard par-dessus son journal, histoire de voir les dégâts sur sa carrosserie. Mais tout comme il n'avait pas osé sortir de sa caisse lorsque Chelem l'avait prise pour fauteuil, il se garda bien de râler. Et je le comprenais.

Chelem m'a regardée de bas en haut avec une petite moue de mépris. Encore un pour qui je ne devais pas correspondre à l'éternel féminin. Connard.

— B'soir.

— Bonsoir Chelem.

— J'ai fait ce que tu m'as demandé, gamine. T'as rendez-vous avec un gars qui va te trouver ce que tu cherches. Je t'accompagne, je te présente et je me casse. Après, tu m'oublies à tout jamais. C'est clair.

— C'était le marché, Chelem.

— Alors en route.

Je l'ai suivi et nous sommes remontés par Zang Zhue, une rue étroite et tortueuse qui ondule à droite et à gauche au milieu des échoppes de fausses Rolex, de faux Cartier, de faux Lacoste, de téléphones, de vidéo, de stéréo, avec au-dessus de nos têtes, à deux mètres cinquante peut-être, les claies de bambous séchés pour protéger la ruelle de la chaleur du soleil, de la lumière et des ordures balancées par les fenêtres des appartements supérieurs. Même de nuit, la ruelle est pleine de monde, avec les lumières aigres et acides des devantures de néon, et le brouhaha permanent des acheteurs, des vendeurs, des curieux, des passants, des pickpockets, des flics en civil, des putains en maraude.

« Cinquante *sterlins*, cinquante le portable ! Mate l'écran plat, ami, mate. Pour un brackh[3], il est à toi ! »

« Crédit, tout crédit ! Tu pars avec ! Tu payes pas ! »

« Chouff, chouff la qualité. Qualité supérieure, dans dix ans, il tient toujours le pantalon. »

Et les prix chuchotés par les rabatteurs de filles, de mecs, de ganja, de horse ou de blanche.

Chelem forçait le passage à grands coups d'épaules, emmanchant les foulées sans le moindre temps d'arrêt. Ceux qu'il bousculait n'osaient répliquer devant sa trogne et son volume. Je trottinais derrière lui, dans l'aspiration, protégée des propositions malhonnêtes et des mains baladeuses. La foule qui grouillait, qui chuintait, qui respirait, qui se bousculait et traînait. La foule qui exhalait des odeurs de transpiration, de parfums des quatre coins du monde, des haleines chargées de tabac... des voix et des langues, des patois et des argots... le monde entier vient s'échouer, réussir ou débuter à Ouang. Dans le quartier du Strand, on trouve ceux qui n'ont pas encore réussi, mais qui n'ont pas sombré dans les profondeurs du bitume des rues, à pousser des caddies pleins de vieilles canettes,

3 Unité de mesure argotique : mille *sterlins*

avec leur vie entière qui dégueule de sacs plastiques pendus à leurs poches.

Personne ne comprend Ouang tant qu'il n'y a pas vécu. Mylock, toujours lui dans ma mémoire, n'y était pas né et ne l'aimait pas. Il ne comprenait pas les bidonvilles de Zan Mhah, le grand dépotoir d'Entresang, sur lesquels vivaient plusieurs milliers de familles, les cités barbelées des riches sur la colline de Palatin's Island... il ne voulait pas admettre que Ouang est le reflet le plus pur et le plus juste de la vie.

On a pris Chua sur la gauche, une ruelle plus étroite encore et sombre, avec les dernières échoppes d'étameurs de Ouang, et enfin une petite impasse sans nom sur la droite. La chaussée était faite de pavés ronds et le bout de l'impasse était clos par une épaisse porte de bois rouge travaillée de gros clous de bronze.

Chelem a toqué trois fois et un minuscule judas s'est ouvert. Derrière le judas, l'optique froid et rond d'une webcam. Ça m'a fait sourire... drôle et curieuse idée de cacher derrière le plus vieil observateur indiscret du monde, une caméra moderne. Pourquoi n'était-elle pas placée au-dessus de la porte ?

On nous a ouvert et je suis entrée derrière Chelem.

Un homme jeune et bien balancé nous a conduits le long d'un couloir rouge avant d'ouvrir une porte noire qui donnait sur une petite pièce sombre. Avant de nous laisser entrer dans la pièce, il m'a fouillée, m'a dépouillée de mon e-Me et m'a passé tout le long du corps un détecteur de métal. Satisfait de son inspection, il nous a fait signe de passer.

La pièce n'avait pas de fenêtre et était meublée sur la droite d'un large bureau surchargé de papier et de dossiers, d'un canapé rouge profond et d'un fauteuil du même ton face à une table basse sur laquelle se trouvaient plusieurs bouteilles d'alcool. Dans le coin opposé, une fausse cheminée dont les flammes de tissu rouge et orange ondulaient sous l'effet d'un courant d'air brûlant. Au mur, une cascade canadienne dans un cadre lumineux animé scintillait doucement.

Derrière le bureau, un vieil indou ridé qui ne s'est pas levé pour nous saluer.

Chelem m'a désignée du bras.

— Voilà la fille, Paritoshan.

— Hum.

— Je m'en vais alors.

J'ai remercié Chelem et le vieux m'a fait signe de m'asseoir.

Au fond de l'estomac, j'avais un fil d'inquiétude qui courait le long des parois de mon ventre, répandant son fiel de peur et d'angoisse. Ma veste d'ombre avait beau être totalement indétectable, je n'en étais pas pour autant détendue. Si jamais je me faisais attraper ici, il était quasi certain que je ne reverrais jamais le soleil briller dans le ciel.

— Voulez-vous boire quelque chose, Mademoiselle ? Un thé ? Un alcool fort ?

Il avait une voix douce, bien qu'éraillée. Un filet sonore si fin, qu'il fallait tendre l'oreille pour l'entendre.

— Un thé, s'il vous plaît.

De la main, il m'a invitée à m'asseoir sur le canapé et m'y a rejointe à petits pas.

— Chelem est un garçon étonnant. Je ne l'imaginais pas connaître quelqu'un comme vous.

— J'ai donc l'air si spécial ?

— Hum... Je ne dirais pas cela. Lui, par contre, est très... disons particulier. Mais nous ne sommes pas là pour parler de lui.

Avec des gestes mesurés et lents, il servait le thé dans de petites tasses couleur crème avec la tête du prince Harry et Lady Francka en médaillon sur le côté. Je le regardais faire sans dire un mot.

— Plus personne ne boit de thé à Ouang Schock. Sans doute parce que nous ne savons plus prendre le temps, ou bien parce que nous ne savons pas faire la différence entre prendre et perdre son temps. Mais que voulez-vous, c'est ainsi. Le thé va disparaître... c'est déjà une boisson de vieillard. Bientôt, on n'en parlera plus que dans les livres. Cette ville ne respecte rien Mademoiselle, ni les siens ni les traditions. C'est ce qui la perdra, je vous le dis.

Je l'écoutais me seriner ses âneries sur le passé et l'eau chaude teintée sans répondre. Ce type voulait se donner un genre, mais tout ce qu'il arrivait à faire, c'était être ridicule. D'autant plus que le fil blanc du sachet de thé flottait doucement à la surface de sa théière monstrueuse... comme respect de la tradition, on faisait mieux.

Mais cela lui faisait plaisir et c'était bon pour mon reportage, alors cause grand-père, cause... Et une image de mon père m'est venue en tête. C'était un matin, au petit-déjeuner, dans la minuscule cuisine bleue de notre appartement au cent-vingt-septième étage de la tour Conapt. Devant son café, il tentait de comprendre pourquoi j'exigeais encore une fois de changer d'orientation, changer d'école, de futur métier... c'était un rite chez moi : tous les trois mois, je voulais faire quelque chose de différent.

« Écoute-moi papa. Je ne veux pas vivre une vie grise et monotone, je veux faire des expériences, goûter à plein de choses, découvrir la vie... Comment veux-tu que je vive une vraie vie si je continue dans cette école de merde ? »

« Dans un monde où tout semble offert, le plus grand danger est de vouloir tout faire. »

« Arrête avec tes grandes phrases toutes faites, papa. Le monde a changé. À ton époque, elles voulaient peut-être dire quelque chose, mais aujourd'hui, c'est creux et sans intérêt. »

« Ah !? »

Il avait eu l'air peiné par ma remarque et pendant une seconde je m'en suis voulu. Puis je me suis souvenue que j'avais dix-sept ans, qu'il n'était qu'un vieux et qu'il ne savait rien de la vie.

« La seule façon de faire quelque chose c'est de s'y consacrer entièrement, Ashelle. Sois à ce que tu fais et le monde t'appartiendra. Continue à courir vingt projets à la fois, et tu ne feras jamais rien de ta vie. »

J'avais quitté la cuisine en claquant la porte tout en le maudissant.

Avec le recul, je pense que je suis devenue journaliste pour vivre l'illusion de ne m'appesantir sur rien. En passant d'un crime à un meurtre, d'un assassinat à un guet-apens, d'une prise d'otage à un rapt d'enfant, je pensais pouvoir vivre ma vie à saute-mouton. Avec le temps, j'ai pris conscience que j'avais suivi le conseil de mon père. Je m'étais consacrée entièrement à la part noire de la vie de Ouang et j'en étais devenue l'une des meilleures spécialistes... d'où ma place aujourd'hui.

Paritoshan en avait fini avec son ersatz de cérémonie du thé.

— Chelem ne m'a pas dit ce que vous cherchiez exactement. Il m'a simplement demandé de vous recevoir.

— Il ne vous a rien dit d'autre ?

Il a laissé passer un silence.

— Il m'a dit que vous étiez une... une peste... Enfin, il n'a pas employé ce terme exactement.

Chelem possède un langage beaucoup plus fleuri. Mais il a insisté sur le fait que vous étiez régulière et que je pouvais me fier à vous. Pourtant, il ne vous aime pas, du moins l'ai-je déduit de son air maussade lorsqu'il parle de vous. Je me demande ce que vous lui avez offert pour qu'il accepte néanmoins de vous rendre service.

S'il comptait sur moi pour éclairer sa lanterne, il se mettait le doigt dans l'œil le vieux grigou.

— Ce qu'il ne m'a pas dit, par contre, c'est pour quelle raison vous vouliez me rencontrer.

Nous y étions. J'ai inspiré un bon coup en silence et je me suis lancée. Mon enquête démarrait.

— Mon père est en train de mourir, Monsieur. Une dégénérescence des reins et une maladie des poumons. Il lui faut une double greffe dans les deux mois. La voie officielle, l'inscription sur la liste d'attente, ne donnera rien. Les délais sont trop longs et mon père n'est pas considéré comme prioritaire. Trop âgé, disent les médecins. Alors, je viens solliciter votre aide pour trouver ce rein et ce poumon qui lui permettront de vivre.

Paritoshan m'a regardée avec, au fur et à mesure que je lui exposais ma requête, un air de plus en plus surpris. Mais c'était une surprise feinte... en plus d'être ridicule, il était mauvais comédien.

– Vous me sollicitez moi ! Mais que voulez-vous que je fasse ? Je ne suis pas médecin, je ne suis pas chirurgien...

– J'ai de quoi payer, Paritoshan. Et je ne discuterai pas les prix... Je ne veux pas que mon père meure. Vous comprenez ?

Il s'est redressé et a appuyé son dos sur le dossier de son fauteuil. Il a joint ses mains à hauteur de sa bouche avec le bout de ses longs doigts sous le nez.

– C'est bien dommage, mais je n'y peux rien.

Sans dire un mot, j'ai sorti de ma poche une enveloppe que j'ai posée devant lui.

Il l'a regardée sans bouger. Puis, après un long silence, il a avancé sa main et ouvert l'enveloppe. Elle contenait cent mille *sterlins* en liquide et une clef USB avec le dossier médical de mon père.

Il n'a pas sourcillé. Il a placé la clef devant lui et les *sterlins* dans la poche de droite de sa veste d'intérieur.

– Je ne suis pas insensible à votre malheur, Mademoiselle. Mais je ne comprends toujours pas ce que vous espérez de moi. J'ai quelques amis à qui je ferai part de votre curieuse demande. Peut-être sauront-ils mieux que moi y apporter une réponse.

— Je préférerais que nous ne perdions pas trop de temps, Paritoshan, car c'est la seule chose dont je ne dispose pas.

— Je ne comprends pas ce que vous voulez dire, Mademoiselle.

— Paritoshan, je vous en prie. Si la voie officielle me permettait de sauver mon père, je ne serais pas dans votre bureau à vous supplier de donner une réponse positive à ma demande. Je sais bien les risques que vous prenez... Je vous le prouve en vous laissant une enveloppe alors que vous ne m'avez rien promis. Mon père va mourir, Paritoshan. Et il est tout ce qui me reste. Chelem m'a dit que vous pouviez m'aider... alors, je vous en conjure : aidez-moi à sauver mon père.

Pendant un instant, j'ai eu peur que Paritoshan ne m'ait reconnue. Qu'il ait fait le parallèle entre la jolie présentatrice bien coiffée et bien maquillée de Télé7 et la jeune femme sapée en homme devant lui. Puis, je me suis raisonnée. Il y a trente-sept chaînes locales à Ouang, plus tous les satellites... et je n'étais pas encore une star du petit écran. Une mini vedette, peut-être, pour les accros du meurtre, mais pas suffisamment célèbre pour que mon visage face tilt dans le cerveau du vieux.

Il s'est levé et s'est collé sous mon nez avec un regard dur. Et tout d'un coup, il n'avait plus du tout l'air ridicule. Au contraire même, il était subitement devenu un homme cruel et avide.

— Si vous n'étiez pas venue par Chelem, Mademoiselle, je ne vous aurais pas écoutée parce que vous ne m'inspirez aucune confiance. Je doute même de l'existence de votre soi-disant père.

— Vous avez son dossier médical dans la...

De la main, il m'a intimé l'ordre de la boucler.

— Les dossiers, ça se fabrique. Tout se fabrique. J'en sais quelque chose. Mais soit, je vais faire ce que vous demandez. Je vais vous trouver un beau petit donneur bien sain qui va vous donner un rein et un poumon. Vous aurez ainsi la joie de prolonger la vie de votre charmant papa. Mais ça vous coûtera cher, très cher. Et il n'y a pas de remboursement possible. C'est clair ?

J'ai acquiescé du chef.

— Autre chose : avez-vous un chirurgien pour l'opération ?

— Euh...

— Je vous conseille de vous bouger pour en trouver un. J'aurai votre marchandise dans une semaine. Si d'ici là vous n'avez pas trouvé, votre père mourra, car le donneur ne restera pas en ville plus d'une dizaine de jours. Alors, bonne chasse, Mademoiselle... et faites attention à rester discrète, car nous vous surveillerons. Et si vous faites le moindre faux pas, si j'éprouve le moindre doute, je laisserai tomber.

— Je comprends. Mais soyez sans crainte, je ne vous décevrai pas.

Il s'est rassis dans son fauteuil.

— Laissez-moi un numéro où je puisse vous joindre.

Je lui donnais mon numéro personnel.

— Monsieur Paritoshan, je... enfin... je préférerais être sûre de la qualité du donneur.

Il a froncé les sourcils, mais je ne lui ai pas laissé le temps de parler.

— En fait, j'aimerais rencontrer le donneur. Le voir...

Il a eu un petit sourire vicieux, puis un cri.

— Ha ! Madame a peur qu'on lui refile de la mauvaise qualité ! Madame veut du premier choix !

— Non, ce n'est...

— Mais si, mais si, c'est bien ça.

Je me suis rendu compte que ma demande (que je faisais pour être sûre de ne pas avoir la mort d'un clandestin sur la conscience) lui donnait confiance. Tout d'un coup, je devenais crédible.

— Vous êtes tous pareils. Vous voulez voir la tête et la peau de celui qui porte ce que vous ne verrez jamais et qui vivra demain dans les tripes de votre père.

J'ai baissé la tête comme si je venais d'être prise en faute.

Il a continué quelques instants à ricaner.

— N'ayez pas d'inquiétude, *Madame*. Nous ne vous vendrons pas un poumon périmé.

http://www.freewiki.co.os/wiki/ouangshock/politique

Cet article est en cours de réalisation.

Notifiez les erreurs / Apportez votre contribution

Aucun régime politique actuel ne peut se comparer au système de gouvernement de la Cité-État de Ouang Schock. Le terme le plus adéquat pour décrire ce régime serait : « Parlementarisme autoritaire ».

Un parlement élu, mais dont les membres sont exclusivement issus du monde des affaires et cooptés par leurs pairs, dirige l'économie et la justice du pays sous l'autorité occulte des membres des 7 familles descendant du père de Ouang Schock le général Yun San-Tse.

## Origines

De 1916 à 1927, date de la scission, le régime de Ouang Schock dépendait du bon vouloir du seigneur de la guerre Tang Jivao.

À partir de 1927, et la chute de Jivao, Ouang Schock devint une dictature militaire avec le général San-Tse à sa tête.

Le 28 mars 1949, à la suite de la signature de la convention 112 avec les représentants du parti communiste chinois, et à la suite de la création de la « Ouang Schock compagnie », la Cité-État passa de la dictature au parlementarisme de façade.

Comme prévu dans l'annexe 7 de la convention 112, la Cité-État devait se doter d'un parlement populaire.

## Le parlement fantoche

Le général San-Tse créa donc de toutes pièces un parlement de 327 membres dont les « députés » seraient élus au suffrage universel direct.

Ne pouvaient être membres du parlement que des individus de sexe mâle issus soit de la caste militaire, soit du monde des affaires. Leur candidature ne pouvait être déposée qu'après autorisation du général lui-même.

De fait, ce parlement n'était qu'une chambre d'enregistrement des décisions prises par le cabinet particulier de Yun San-Tse, qui avait alors abandonné son grade pour prendre le titre de Président directeur général.

Les élections quant à elles étaient ouvertes à tous les habitants de Ouang Schock ayant un taux d'imposition supérieur ou égal à 25 %.

## Le putsch 52

Pendant la guerre de Corée, certains « parlementaires » furent approchés par des agents de la C.I.A. Le gouvernement américain espérait créer un foyer de tension en Chine pour durcir et « nationaliser » le combat.

Une petite vingtaine de parlementaires, dirigée par James Henry, le directeur général du casino San, prépara activement un coup d'État en s'assurant les services de deux généraux de brigade déçus du peu de poids de l'armée dans la direction des affaires.

Yun San-Tse fut mis au courant de la tentative grâce à l'étroitesse des relations qu'il entretenait avec Myang Zenan, trafiquant d'armes birman.

Ce dernier lui fit parvenir la liste précise des armes que les conspirateurs espéraient faire entrer à Ouang Schock.

San-Tse, qui avait pris garde depuis toujours de conserver de très bonnes relations avec son puissant voisin, sollicita l'aide de la Chine.

Le 5 juin 1952, aidés par trois cents agents des services secrets chinois, les conspirateurs furent arrêtés, jugés, condamnés et décapités dans la journée.

De ce putsch avorté qui n'avait pas fait trembler le gouvernement, San-Tse tira la leçon qu'il devait se débarrasser des militaires qui représentaient une force dangereuse.

Le 8 septembre 1952, Ouang-Schock signa un accord de démilitarisation avec la Chine et se plaça sous sa coupe pour les questions diplomatiques et militaires.

L'armée fut alors désarmée et l'ensemble de ses forces passé sous le commandement de l'OSPD.

Les militaires siégeant à la chambre furent tous démissionnés de leur mandat.

## Un régime parlementaire

À la mort de Yun San-Tse (12/07/1959), les 7 familles, sous la pression des autorités de Pékin, décidèrent de confier les rênes du gouvernement au Parlement.

Pendant deux ans, les 357 « députés » travaillèrent à la mise en place d'institutions administratives et économiques à même de structurer le développement du pays.

Une Chancellerie fut créée pour les affaires criminelles, ainsi qu'un ministère de l'Éducation dépendant entièrement de la commission de prospective économique qui, en fonction des besoins de l'industrie, décide des programmes et du *numerus clausus* d'accession aux diplômes.

En 1962, sous la pression des dirigeants de chaînes de télévisions et de radio, l'unité du parlement fut ébranlée et l'on vit apparaître le premier parti d'opposition : le Grand Conseil des Annonceurs.

Ce parti reprochait aux industriels de ne pas prendre en compte les spécificités de leur « industrie » et de ne pas préparer Ouang Schock à la révolution médiatique.

En réponse à la création du GCA, fut créée la Chambre des Industriels.

Aux élections de 1963, date à laquelle on peut parler de premières réelles élections puisque les électeurs avaient le choix entre deux courants, le GCA réalisa 12 % des suffrages.

Aux élections de 1968, le GCA réalisa 35 % des suffrages.

C'est en 1993 que le GCA conquit le pouvoir à la chambre. Il l'a conservé jusqu'à ce jour.

La création en 2012 de la Ligue Sportive laissa croire un temps qu'un troisième courant politique allait naître.

Mais jamais les dirigeants de la LS ne voulurent s'engager dans la dure voie de la lutte politique.

Aujourd'hui, un nouveau courant, celui des industriels du jeu vidéo, semble être sur le point de voir le jour. Historiquement rattachés au Grand Conseil des Annonceurs, les professionnels du jeu vidéo estiment en effet qu'ils n'ont pas la juste place que les revenus qu'ils génèrent dans l'économie de la cité leur permettraient d'espérer.

**Télé7**
**Note interne**

De : Huang Chi Chuan / Services généraux
À : Claudius Butcher / Direction de la sécurité

Le : 8/10/2057

Lors de l'intervention de l'équipe plomberie dans la salle 124-1 du premier sous-sol pour vérification de l'étanchéité des joints des colonnes montantes, il a été procédé au déménagement des objets entreposés.
Après comparaison avec l'état des lieux (en copie jointe) il ressort une pièce manquante : la EJ-113. (veste de télécommunication digitale)
Lors du dernier relevé du 04/57, la pièce était encore là.
D'après le règlement interne concernant les objets entreposés dans la 124-1, nous avons recherché sans succès le bulletin de sortie de la EJ-113.
Le relevé des badges magnétiques fait apparaître deux ouvertures de la 124-1 sur la période. Badge RJ 75127 et RJ 15789.
Le RJ 15789 apparaît sur un bon de sortie (17/04/57) pour un oscillateur de fréquence ainsi que sur le bon de rentrée (25/04/57). (L'oscillateur apparaît dans l'état des lieux actuel)

**Télé7**
**Note interne**

De : Claudius Butcher / Direction de la sécurité
À : Robert Wang Cheun May / Direction des programmes

Le 9/10/2057

Monsieur, un récent rapport des mes services met en avant la disparition inexpliquée du matériel EJ-113, dite veste d'ombre, du local où elle était entreposée.
En plus de son prix élevé, 185 000 *sterlins*, ce matériel n'avait pas été vérifié par nos soins et est peut-être encore porteur de certaines images que nous ne voudrions pas voir diffusées sur une autre antenne que celle de Télé7.
Le relevé des badges révèle que le matricule RJ 75127 (Madame Miutu Muy du département des affaires criminelles) s'est rendu dans la salle où était entreposé le matériel.
J'aimerais obtenir l'autorisation de procéder à l'interrogatoire de RJ 75127 pour clarifier la situation.

*Dites à ce furieux que nous gérons l'affaire et convoquez-moi Muy.*

# 13

*« Goopeal News 17 heures avec Bakari Tanga. L'actualité du jour en six minutes. Five Q, battu par Osseman Drive lors de la finale de la Street Fight, est sorti aujourd'hui de l'unité des soins intensifs de l'hôpital Dzerjinski. « Son état s'est stabilisé, mais il n'a toujours pas repris connaissance », a déclaré le professeur Karl Liebknecht / Ouverture officielle aujourd'hui de la campagne électorale pour le renouvellement des représentants des deux chambres : « Il est important que les électeurs se déplacent pour voter. Trop nombreux sont nos concitoyens qui ne comprennent pas l'importance de la répartition des pouvoirs entre les deux chambres. Sans un contre-pouvoir fort à la puissance des annonceurs, il ne pourra pas y avoir de développement à long terme de Ouang Schock. La Chambre des Industriels, la plus vieille institution politique de la vile, est aussi celle qui regarde le plus loin vers l'avenir », déclarait ce matin Salim Al Mansour, porte-parole de la Chambre des Industriels / Esther*

*Romitz, la directrice des services de police de Ouang Schock, a reçu ce matin des mains de Monsieur Jonah Quinte, et en présence de Madame San-Tse, la petite fille du hiérarque créateur de la ville, les insignes du Cordon bleu, la plus haute décoration de la Nation : « C'est grâce au travail de quelques individus, à leur dévouement, à leur intelligence et à leur sens du bien public, que Ouang Schock est aujourd'hui l'une des villes les plus riches et les plus puissantes du monde moderne. Esther Romitz fait partie des ces êtres d'exception et c'est un honneur pour moi de lui remettre cette décoration » / Embouteillage monstre ce matin sur le Circle 3 entre Quentin et Altraz à la suite du renversement d'un camion de déchets toxiques. La police de la route a dû faire appel à une unité antiémeute pour calmer la colère des automobilistes bloqués / Liam Baodang a été déclaré innocent cette après-midi par la 17e Chambre du tribunal criminel et la Chancellerie a levé toutes les charges qui pesaient contre le Secrétaire général de la National Ethic Fundation. À sa sortie du tribunal, Baodang a déclaré : « Je suis heureux de voir que mon honneur est lavé de ces accusations sordides » / Un père de famille qui avait menacé sur son blog d'égorger ses trois enfants puis de s'immoler si la justice donnait raison à son ex-épouse est passé à l'acte cet après-midi. D'après OSTélécom, 857 456 internautes ont suivi le drame en direct sans qu'aucun d'entre eux ne songe à prévenir la police / C'était Goopeal News 17 heures »*

Miutu se triturait la lèvre inférieure sans dire un mot depuis plusieurs minutes et je commençais à me sentir mal à l'aise. Face à elle, j'avais toujours le sentiment de sortir de l'école et d'être en attente de son jugement, de sa note. Moïra, la petite stagiaire sur laquelle elle avait jeté son dévolu, nous avait apporté un thermos de café au début du visionnage et s'était retirée dans son bureau. C'était une jolie brune à la peau ambrée avec de grands yeux marron très doux. Je me demandais comment, à son âge, Miutu arrivait encore à attirer de si jeunes gens dans ses draps. Sa position n'expliquait pas tout : nombreux étaient ceux qui avaient refusé ses avances sans que cela ait nui à leur carrière.

Devant nous, les écrans muets diffusaient en boucle douze des prises de vues de la veste d'ombre. Paritoshan en gros plan, en plan large, les mains de Paritoshan, le tableau lumineux, le divan, le tapis et les pieds du vieux qui le tapotaient nerveusement.

Finalement, Miutu lâcha sa lèvre.

— Je continue de penser que c'est une mauvaise chose de s'impliquer personnellement dans un reportage. Quand je regarde ces images, je ne sais plus si c'est un travail de journaliste ou un mauvais film.

— Tu veux mettre quelqu'un d'autre sur le coup ? Ta stagiaire par exemple ?

— Peut-être... parce qu'elle me rapporterait de quoi comprendre l'histoire plutôt que le récit des pérégrinations de fifille qui veut sauver papa.

Je me suis levée avec l'envie de la gifler. Elle agrippa mon bras et me força à me rasseoir. Elle avait encore une poigne de fer.

— Assis ! Écoute-moi, Ashelle. Ce que j'ai comme image, ce n'est rien !

— Un type prêt à me vendre des organes, ce n'est rien !

— Tais-toi ! Ce que j'ai vu moi, c'est un vieux grigou profiter de la détresse d'une jeune femme pour lui soutirer sans contrepartie une enveloppe de billet. Il n'y a rien qui tienne la route, rien de solide, rien d'étayé. Mets-toi à la place du spectateur, bon Dieu ! Raisonne comme lui. Tu dois commencer par l'accrocher en lui racontant une histoire qu'il connaît déjà tout en lui laissant entrapercevoir des rebondissements qu'il ne soupçonnait pas. Il doit trembler avant de savoir quelle horreur tu vas lui raconter. Pardonne-moi de te le dire, Ashelle, mais on se fout comme de l'an quarante de ton père et de ses poumons... qu'il meure ou qu'il vive n'aura aucune incidence sur l'audience. Alors, laisse tomber le côté gnangnan de ton histoire et travaille comme une journaliste. Une vraie.

— Qu'est-ce que tu veux que je fasse ?

— Commence par le début.

— Quel début ?

— Par Fat. C'est lui le début de cette histoire.

— Fat ? C'est curieux, son avocat m'a contactée hier. Il paraît qu'il veut me parler.

— L'avocat ?

— Non, Fat lui-même. D'après son bavard, il aurait des révélations à me faire. Mais j'ai refusé de le rencontrer parce qu'il ne veut pas que l'entretien soit filmé.

— Tu es une idiote. Avec la veste d'ombre, qu'il soit d'accord ou pas, tu peux le filmer.

— C'est juste, je n'avais pas pensé à ça. De toute façon, il n'a rien à voir avec mon enquête actuelle et je n'ai pas de temps à perdre.

— Je ne suis pas d'accord, Ashelle. C'est parce que tu connaissais l'histoire de Fat que tu as accepté aussi facilement la possibilité qu'il y avait un trafic d'organes. Si un homme a l'idée de vendre des fœtus, alors il n'y a aucune raison pour que d'autres n'aient pas l'idée de vendre des pièces détachées pour les riches en mauvaise santé. Le public n'a pas oublié cette histoire...

— Entendrais-tu par là que c'était un bon reportage ?

— Non, Ashelle. C'était une bonne histoire, mais tu n'en as rien tiré. Cela fait bien trop longtemps que tu n'essayes plus de travailler et que tu te contentes de te reposer sur tes lauriers. Avec cette histoire, tu as une chance de devenir une vraie journaliste. Alors, ne fous pas tout en l'air comme tu en as l'habitude.

Je savais qu'elle avait raison sur toute la ligne. Cela faisait trop longtemps que je ne croyais plus à mon travail, que j'étais devenue cynique... Je ne pensais plus à rien d'autre qu'au moyen de devenir présentatrice d'un Goopeal. Il était peut-être temps que je fasse mon boulot.

# 14

En 1987, lors de la fermeture officielle du dernier puits en activité, se posa la question de savoir ce que Ouang Schock allait bien pouvoir faire du site de la mine de sel de Huan Gia.

Creusée depuis le flanc du mont Zun Ziou jusqu'à des profondeurs pouvant atteindre 876 mètres, la mine avait été en activité pendant trois siècles et demi et avait grandement participé à la richesse de la province.

Certains, prenant exemple sur ce qu'avait réalisé Wieliczka en matière de tourisme, proposèrent de transformer la mine en un immense complexe de loisirs. Il fut même question un temps d'y ouvrir le seul casino souterrain au monde.

Devant les coûts de telles opérations, le parlement décida de faire de la mine la prison d'État de Ouang Schock. La légende veut que le projet fut adopté à la suite d'une remarque d'un conseiller : « Au moins, là bas, on pourra revendre le sel si un prisonnier creuse un tunnel pour s'évader. »

De l'extérieur, on ne voit rien de remarquable, seulement des baraquements de deux étages réservés à l'administration pénitentiaire. Et puis, collée à la paroi de la montagne, une immense et gigantesque porte d'acier noire qui s'ouvre (rarement) sur la cour d'honneur de la prison. C'est là où sont accueillis les prisonniers, avant d'être descendus par un unique ascenseur jusqu'à la plate-forme du niveau moins 1 où se trouvent les parloirs et le carré des gardiens. De là, sept ascenseurs desservent les puits et les huit mille cellules creusées directement dans le sel.

L'absence de lumière naturelle et l'action naturellement corrosive du sel sur la peau, transforment vite un prisonnier en fantôme. En trois quatre ans, la peau devient si transparente que l'on peut apercevoir sans problème le réseau sanguin de tous les prisonniers. Tous ceux qui sortent de Gia après avoir purgé leur peine, portent sur eux cette trace infamante pendant plusieurs années et doivent suivre un traitement médical spécial pour ne pas développer de cancer de la peau à cause du soleil.

À ce jour, il n'y a eu aucune évasion réussie à Huan Gia. Comment s'enfuir quand il n'y pas de murs à franchir ? Une révolte a bien eu lieu en 2027, mais les autorités ont trouvé un moyen imparable pour la mater. Ils ont fermé les puits, coupé l'eau, l'électricité et l'aération et ils ont attendu. Au bout d'une semaine, la brigade d'assaut a pénétré la prison. Elle n'a pas eu à tirer un seul coup de feu, mais a remonté 496 cadavres : morts de faim, de soif ou tout simplement victimes de règlements de compte entre détenus.

Chaque cellule fait neuf mètres carrés... au départ, il ne devait y avoir que huit mille prisonniers dans la prison. Aujourd'hui, la population carcérale de Gia est de 22 mille.

Ceux qui en ont les moyens, et ceux dont la condamnation le permet, peuvent faire le choix d'une résidence pénitentiaire privée. Il y en a sept à Ouang Schock. Mais être détenu dans ses prisons n'est pas donné et Gia est la prison des miséreux, des irrécupérables et des types comme Fat, que la justice a décidé d'enterrer et d'oublier à tout jamais dans les profondeurs de la montagne.

La section hospitalière de Gia se trouve au vingt-septième et dernier sous-sol de la mine et ce n'est pas un hasard : la température élevée et la rareté de l'oxygène n'en font pas un lieu agréable. Au contraire même. Ceux qui y sont admis ne sont pas des tire-au-flanc, mais de vrais malades.

Maître Miron avait été surpris de mon changement d'attitude, mais il n'avait pas essayé de connaître la raison de ce revirement, trop content de me voir accepter la proposition de Fat. Deux heures après mon appel – ce qui prouvait que

Maître Miron avait ses entrées — je recevais mon électropass de la Chancellerie.

Je suis déjà allée à Gia par le passé. Quand on commence dans le meurtre à Télé7, on fait toujours un reportage sur les coulisses de la prison. C'est une sorte de bizutage, mais un bizutage très formateur, car obtenir les autorisations administratives, se démener avec les avocats des détenus que l'on filme, les accords à signer avec le syndicat des gardiens, n'est pas une mince affaire. Une fois que vous vous êtes crevé à sortir sept minutes d'images dont vous êtes fier, on fout votre reportage sur une page de sixième niveau sur le site du Goopeal et personne ne le regarde jamais si ce n'est votre père.

Les ascenseurs ne sont plus ceux que l'on utilisait lorsque la mine était en activité. Ils ont été remplacés par des sortes de chambres fortes avec chaise de contention et barres soudées aux parois pour y fixer les menottes des détenus. Deux caméras de surveillance et une grille d'aération capable de souffler un gaz paralysant en cas de problèmes y sont présentes.

Le responsable des affaires extérieures était un indou de soixante ans peut-être, tout petit avec une forte moustache. Il portait, malgré sa fonction, la tenue réglementaire des employés de la prison : chemise en lin gris et pantalon de toile noire sans aucune poche.

Dans l'ascenseur, je le questionnais sur ce qui était arrivé à Yen Fat.

– Dites-moi, Monsieur Badaro, comment est-il possible de se faire agresser dans cette prison ? Je croyais que les prisonniers étaient toujours accompagnés d'un gardien.

– Mettez deux fauves dans deux cages séparées et ils ne se battront jamais. Réduisez le budget alloué à la maintenance des cages et vous assisterez à un beau combat.

– Les budgets sont donc si bas ?

– Notre priorité est d'assurer la contention des prisonniers. Tous nos faibles moyens sont donc alloués aux procédures de lutte contre l'évasion. Pour le reste, nous nous en remettons à la divine providence.

– Savez-vous comment cela s'est passé ?

– Oui. Yen Fat a été agressé dans sa cellule, à l'heure du repas. Le cantinier, qui dispose du pass, effectuait sa tournée. Il a ouvert la porte de la cellule et a été assommé. Il n'a pu nous donner aucune description des agresseurs. Néanmoins, nous supposons qu'ils étaient au moins deux, voire trois.

– Qu'est-ce qui vous le fait croire ?

– D'abord, parce que Yen Fat est en pleine possession de ses moyens physiques. C'est un homme dur et fort. Ensuite, je ne crois pas qu'un seul individu aurait pu émasculer Fat contre sa volonté. De plus, l'agression a été extrêmement rapide... notre système de sécurité déclenche une alarme dès qu'une porte de cellule reste ouverte plus de quarante secondes. Comme il n'aura fallu que vingt secondes aux gardiens pour intervenir, cela ne laisse qu'une minute aux agresseurs pour commettre leur forfait.

— Qu'est-ce qu'a donné le visionnage des caméras de vidéosurveillance ?

— Une malheureuse panne du serveur a empêché leur enregistrement.

— À croire que tout était parfaitement planifié !

— Je vous laisse libre de vos interprétations.

— Quel est le taux d'agression dans la prison ?

— Nous sommes là pour que vous rencontriez le détenu Fat, Mademoiselle Vren. Si vous désirez faire un reportage sur la criminalité dans le monde carcéral, je vous invite à en faire la demande auprès de la Chancellerie qui, je n'en doute pas, vous donnera toutes les autorisations nécessaires.

— Je comprends. Et Fat, il n'a rien dit sur ses agresseurs ?

— Vous connaissez ces gens-là, Mademoiselle. À l'écouter, il ne sait même pas qu'il lui manque un testicule.

— Je vois.

L'ascenseur arriva à destination et Badaro me précéda jusqu'à la porte d'entrée de la zone hospitalière.

Une porte vitrée à l'épreuve des balles, un portique de détection magnétique, et un long tunnel ocre et gris de peut-être trois mètres de hauteur et quatre de large, creusé dans la veine de sel. De chaque côté des portes métalliques noires, les chambres des malades. Il y avait, je le savais depuis mon premier reportage, une salle d'opération au fond du couloir et une petite pièce pour le dentiste. Une infirmière, en uniforme de rigueur, nous attendait derrière la porte de verre.

Badaro nous présenta.

– Mademoiselle Vren, voici votre guide : l'infirmière-chef Du Leng.

Je serrais la main ferme qu'elle me tendit.

– Je vous attends ici, Mademoiselle.

– Vous ne venez pas avec moi, Monsieur Badaro ?

– J'ai reçu consigne de vous laisser seule avec Fat. Mais n'ayez aucune inquiétude, dans son état, il n'est pas dangereux. Et puis, il est attaché à son lit.

J'ai tiqué : ce n'était pas dans les habitudes de la maison de laisser une journaliste seul à seul avec un détenu. J'avais beau ne pas avoir, en apparence, de caméra sur moi, c'était quand même quelque chose d'anormal. Mais je n'ai pas eu le temps de cogiter trop longtemps. L'infirmière m'invita à la suivre. Son ton était à l'image de sa poignée de main : ferme.

Transcript d'écoute 122/67
FYEO : Romitz OSPD / Bao-Belenguer S7

Appel : 547 896 621 555
Recevant : 598 254 777

17 h 12
**Appel :** Monsieur, c'est moi.
**Recevant :** Je vous écoute, Alexandre.
**A :** J'ai rencontré notre ami à la sortie du tribunal et il veut vous rencontrer.
**R :** Hors de question.
**A :** C'est ce que je lui ai dit, mais il insiste. Il exige des garanties...
**R :** Des garanties ! Ce minable veut des garanties ! Cela ne lui suffit pas d'être judiciairement lavé de ses turpitudes ?
**A :** Il craint la réaction d'Akremy...
**R :** Ridicule. Dites-lui qu'Akremy est fini, mais que personne ne le sait encore.
**A :** Et pour le rendez-vous ?
**R :** S'il ne fait pas ce qui est convenu, rappelez-lui que nous possédons plusieurs milliers de Lockers en ville, et que nous adorons les images. Ça le fera réfléchir.
**A :** Je pense qu'il comprendra.
**R :** Nous ne devons plus perdre de temps, Alexandre. Il ne nous reste plus que trois semaines avant la fin de la législature. L'affaire doit être réglée avant les élections.

**A :** Je le sais bien Monsieur. Je pense néanmoins que pour un maximum d'efficacité nous devrions décaler sa sortie à la semaine des élections.

**R :** Arrêtez avec ça Alexandre. Nous avons déjà traité ce point, et avons décidé de faire cela dans les jours précédant l'élection.

**A :** J'attire votre attention…

**R :** Suffit ! Quand une décision est prise, on ne revient pas dessus. À force de discuter de tout, on n'avance plus.

**A :** Serons-nous prêts à temps ?

**R :** C'est à vous de répondre à cette question, Alexandre. Après tout, vous vous êtes porté garant des compétences de notre chien de chasse.

**A :** Notre chienne de chasse, vous voulez dire…

**R :** Votre humour bas de gamme ne m'amuse pas, Alexandre. J'ai horreur de la vulgarité.

**A :** …

**R :** Au revoir, Alexandre.

**A :** Une dernière chose, Monsieur.

**R :** Quoi encore ?

**A :** J'ai reçu un appel de Robert Wang.

**R :** Robert !? Pourquoi vous a-t-il appelé ? Il a perdu mon numéro ?

**A :** Non, non… C'est juste qu'il a un doute.

**R :** Un doute ! Depuis quand est-il payé pour douter, ce **con ?**

**A :** La responsable des affaires criminelles à Télé7 a fait sortir la veste d'ombre.

**R :** Et alors ? Ce truc nous a coûté une fortune et personne ne s'en sert. Au moins comme ça on le rentabilisera.

**A :** Il semblerait qu'elle l'ait sortie pour notre chienn... euh... chien de chasse.

**R :** ...

**A :** Monsieur ?

**R :** C'est embêtant. Il ne faut pas que cette affaire se répande. Que vaut-elle, cette responsable des affaires criminelles ?

**A :** C'est une très bonne professionnelle. 35 ans de métier et quelques belles affaires derrière elle.

**R :** Ce n'est pas ce que je vous demande. Est-elle fiable ou pas ?

**A :** Pour ce qui nous concerne, je ne le crois pas, elle milite officiellement pour la Chambre.

**R :** Hum... Que sait-elle exactement ?

**A :** Robert ne le sait pas, mais je peux lui demander d'investiguer la chose.

**R :** Non, non, laissez-le en dehors. Je vais demander à Braban Mentor de regarder cela.

**A :** Mentor ? N'est-ce pas frapper un peu fort pour un simple doute ?

**R :** Vous m'appelez bien pour un doute, mon cher Alexandre. Pourquoi devrais-je, moi, le traiter à la légère ?

**A :** Bien, Monsieur.

**R :** Au revoir, Alexandre.

**A :** Au revoir, Monsieur.

17 h 28

# 15

« Les bâtards ! Les enculés ! Mais je suis toujours là. Et même avec une seule couille, j'en ai plus qu'eux tous réunis. Ils vont voir ce que je leur réserve, ces connards ! Dès que je serai remis sur pied, je m'en vais m'occuper de leur cul un par un. Et c'est pas une olive que je vais y enfoncer, c'est le poing tout entier ! Et le bras avec. Je vais leur sortir le cœur par le cul. Je suis un seigneur, moi ! Je ne dois rien à personne ! Je me suis fait tout seul et je saurai me défendre tout seul ! »

Yen Fat fulminait. Son visage émacié et pâle ressemblait de plus en plus à une lame. Le dos soutenu par deux oreillers, les jambes tenues écartées par une tige métallique, il avait l'entrejambe bandé et gonflé de gaze et de coton. Sa chambre était un tube de trois mètres de profondeur sur deux de large avec une seule ampoule au-dessus de la porte. Ce n'était pas une prison, mais l'antichambre d'un cercueil.

Lorsque j'étais entrée, il n'avait pas décroché un mot, attendant que l'infirmière nous laisse seuls. Une délicatesse qui allait à l'encontre de tous les règlements pénitentiaires. Une fois la porte refermée, je lui avais demandé les raisons pour lesquelles il désirait me voir. Et il s'était lancé dans sa tirade furieuse.

— Ils se sont mis à quatre, les pédés. Quatre pour me faire la peau. Et je sais bien d'où ils viennent et qui me les envoie. Mais quand je vais leur kicker la gueule, ils ne comprendront rien.

— Pourquoi voulais-tu me voir, Fat ? Si c'est pour me raconter comment tu vas te venger, je t'avoue que je m'en fous complètement.

— Ouais... Tu te déplaces seulement après, hein ? Pour filmer le sang et les morts. Enculés de journalistes de merde.

— Fat, s'il ne tenait qu'à moi, je décorerais les mecs qui t'ont fourré l'oignon avec ta couille. Pour moi tu n'es qu'une pourriture, un type qui mérite la mort. Ce que tu as fait à ces femmes est tellement ignoble...

— Oh ta gueule la gonzesse ! Tu ne sais rien... La plupart étaient d'accord et elles touchaient un bon paquet d'oseille pour nous refiler leurs mômes.

— C'est ça, c'est ça. Et toutes celles qu'on a trouvées dans les sous-sols de Furland[4], elles étaient consentantes ?

4 Banlieue industrielle et pauvre de l'est de Ouang Schock

– Pfut… tu comprends rien à rien toi. T'as jamais gueulé non-non à ton mec quand il te grimpait, alors que t'en mourrais d'envie ? Les bonnes femmes, faut parfois pas vous écouter… vous savez pas ce que vous voulez.

J'avais envie de vomir, de partir et d'oublier ce monstre. D'un autre côté, je savais que ces images allaient m'assurer un carton d'audience. Un monstre qui se lâche à l'antenne, c'est du buzz.

– Et puis merde, je ne vais quand même pas me justifier devant toi. Je suis condamné, ma poule. Condamné à perpétuité. Je vais crever ici, alors viens pas me faire chier la bite avec ces putes.

– Fat, j'ai reçu un appel de ton avocat disant que tu voulais me parler. Alors raconte-moi ce que tu as à me dire, qu'on en finisse.

– Qu'on en finisse. Ha ! ha ! Bien sûr, bien sûr. L'ambiance est pas géniale ici, hein ? On n'a plus l'impression de vivre, hein ? Je sais. Mais malgré ça, j'ai pas envie de claquer. Alors j'ai un message à faire passer dehors.

– Un message au public ?

– Mon cul ! J'emmerde le public, j'emmerde la télé, j'emmerde le monde ! Non, c'est un message pour les enculés de merde qui ont lâché leurs chiens sur moi. Un message que je vais leur balancer à la tête comme un direct.

– Je n'ai pas de caméra sur moi.

— T'en fais pas, ma poule. T'en as pas besoin. Je vais te raconter une belle petite histoire avec des noms et des dates et puis je vais te donner l'endroit où j'ai planqué une partie de mon assurance-vie. Avec ça, tu auras de quoi poser de belles petites questions de fouille-merde à deux / trois personnes. Et je t'assure que tu ne perdras pas ton temps.

— Je t'écoute.

— Moi, au départ, je n'ai rien à voir avec leur histoire de revente des mômes, des organes, tout ça... C'était pas mon business. Je savais même pas que ça existait...

— Tu n'as pas mis longtemps à apprendre.

— Ferme ta gueule, ma poule. Je te raconte et t'écoutes. C'est le deal, d'accord ? Garde ta morale de bourgeoise pour toi. J'en ai rien à carrer de ton jugement, tu comprends. Tu ne sais rien de mon monde et de ma vie. Si t'étais née là où je suis né, tu serais peut-être à ma place. Quoique vu ta gueule, je te vois plutôt au cimetière... t'as même pas le physique pour faire la pute... ou alors pour ceux qu'aiment le genre travelo. Alors maintenant tu la boucles. Moi, je faisais bosser les filles, c'est tout. J'en avais pour tous les goûts, pour tous les portefeuilles... je livrais à domicile ou je recevais au bordel, ça dépendait des gens. Et puis, y a un keum qui est arrivé... que je connaissais de loin... et y m'a proposé de transformer un peu mes affaires. Il avait une clientèle qui aimait les vrais frissons.

Qui voulait de la vraie excitation. Mais pour ça, il fallait que je trouve des filles un peu spéciales. Des filles qui ne l'ouvriraient jamais... Tu vois ce que je veux dire ?

— Attends, Fat. Moi, je ne peux pas fonctionner comme ça. Tu me parles d'un type : mais quel type ? Il me faut son nom. Et puis, ces désirs spéciaux, il faut tout me raconter. Je ne peux pas me lancer dans l'affaire si je ne sais pas tout.

— T'es sûre de vouloir tout entendre ma poule ?

— Je ne suis pas ta poule, Fat, et depuis le temps que je rencontre des types dans ton genre, plus rien ne peut me choquer.

— Si tu le dis, ma poule, si tu le dis. Le mec c'est Raman Kashguy !

— Connais pas.

— Renseigne-toi auprès de Cassidy, il te sortira son palmarès. Ça t'éclairera sur le genre de clients qu'il me ramenait et sur leurs goûts.

J'avais du mal à comprendre ce que cherchait vraiment Fat. Il m'avait fait venir jusqu'ici pour me parler, et maintenant il se dérobait à la moindre question et semblait visiblement en dire le moins possible.

— J'aimerais d'abord que tu me racontes toute l'histoire Fat. Ensuite, n'aie crainte, j'irai voir Cassidy pour me faire confirmer certaines choses.

— Hum... dans cette ville, tu le sais, y a vraiment de tout. Ça vient des quatre coins du monde et de tous les coins de la vie. Y a du fric et de la misère, de la violence et des trucs de mômes tout roses et tout doux. C'est Ouang Schock, ma poule. La ville à 360 degrés. Si tu veux palper de la caillasse, t'as intérêt à être prête à faire le grand écart. Faut reculer devant aucune demande. Donc un soir, voilà Raman qui se pointe. Moi ça m'a scié parce que je croyais qu'il voulait une fille. Et Raman, tu vois, les filles c'est pas son truc... je pense même que le cul tout court c'est pas son truc. Je l'ai jamais vu baiser ou mater une poule... mais attention, c'est pas un pédé non plus ! J'ai pas dit ça. Il est un peu comme un moine, tu vois ! Sauf que, lui, il porte pas de robe et qu'il s'habille pas en safran. Donc il me choppe au Partagas, le bar à Émilio du côté du Strand, tu connais ?

— Non.

— T'as tort. C'est un endroit au poil. Mais on s'en fout. On n'est pas là pour causer tourisme, hein ? Ah, ah, ah...

Il avait un rire gras absolument désagréable.

— C'est là qu'il m'a causé de son truc. Il avait des clients qui voulaient pouvoir tringler des filles un peu violemment. Au début, je croyais qu'il voulait un truc sadomaso quoi. Un truc un peu chaud, mais pas délirant non plus. Des filles prêtes à se faire cogner pour des billets verts, t'as qu'à renverser une poubelle pour en récupérer une douzaine. On est à Ouang, bordel ! Aussi sec, je lui vends deux ou trois gonzesses que j'avais en stock, mais il m'arrête tout net. C'est pas ça, qu'il me fait. « Mes clients veulent des filles anonymes dont la disparition ne ferait aucun bruit. »

– Disparition sans bruit ? Bel euphémisme. Tu lui as fourni les filles ?

– Mais non, connasse. Je suis pas cave à ce point. Mes filles, je les protège... qu'est-ce qui se passerait si je les laissais se faire buter ? Hein ? Comment que je pourrais en retrousser d'autres ? J'y ai dit à Raman : « Les filles tu peux les cogner, les abîmer un peu, mais pas plus loin. C'est quand même pas du jetable les gonzesses ! » Hein ?

– Si tu le dis, Fat, si tu le dis.

– Raman, ça ne l'enchantait pas que je refuse, mais il n'a rien dit et il m'a pris deux filles pour la soirée. L'enculé de Morave ! J'avais sa parole ! Les deux gonzesses, elles arrivaient du Bangladesh... deux mignonnes qui parlaient même pas l'anglais, mais elles comprenaient tout de la bite, je peux te le dire ! Dressées au poil !

– Abrège, Fat... Abrège où je m'en vais, et tu finiras tes jours dans ce trou sans jamais revoir un visage de l'extérieur.

– Quoi ? Quoi ? Elle t'intéresse pas mon histoire ?

– Non...

– Ha, ha, ha ! T'inquiète, ça vient. Les filles partent donc avec Raman... et trois heures plus tard, cet empaffé m'appelle. « Faut que tu viennes » qu'y m'fait. « Y'a un blèm' avec tes paquets. » Quand j'ai rappliqué, j'ai compris le problème. Putain de salaud d'ordure ! Mes deux filles étaient macchabées. T'ain, j'étais fou. J'avais envie de le marave ce pédé d'indou. Me faire un coup pareil, à moi. Y me disait que je devais m'en débarrasser, qu'il y avait un extra des clients pour le dérangement. Mais je l'emmerdais moi. Mon truc, c'est la bidoche chaude, pas le carpaccio de gonzesse. Quand y m'a vu dans cet état, y m'a dit qu'il y avait du fric à se faire avec les deux corps... que si je voulais, y pouvait me conduire à quelqu'un qui me les achèterait. Je savais pas quoi foutre moi, alors j'y ai dit OK. Y m'a emmené jusqu'à une clinique où un gonze en blanc m'a refilé cinq mille pour chaque gonzesse. Y m'a dit qu'il était preneur de toutes les gonzesses que je pourrais lui amener... mais que je devais pas traîner en route parce qu'il avait besoin qu'elles soient fraîches.

— Fraîches ?

— Ouais, fraîches. Parce que l'intérieur du corps pourrit vite y paraît... il ne faut pas traîner si on veut pouvoir s'en servir.

— Et cette clinique, où est-elle ?

— Ça commence à te faire bicher, hein, la journaliste ? Mais bouge pas ma grande, je vais te donner de quoi bien bosser. De quoi faire les gros titres. Tu la trouveras sur Mekong Ride Road, au 37, demande le docteur Kazuo Kantikano. C'est lui que je rencontrais... C'est lui qui m'a demandé des fœtus après.

– Pourquoi me le dis-tu maintenant ? Et pourquoi n'as-tu pas parlé avant ?

– Avant, je tenais à ma peau. Et puis je ne parle pas aux bourres. C'est un principe. Mais maintenant je n'ai plus rien à perdre. Ces fumiers ont essayé de me claquer, tu comprends. Alors, je balance la purée et ils vont morfler. Je te le dis. Va là-bas, va dans la clinique et tu verras ce qu'ils font. Cherche les financiers de la clinique et tu sauras qui tire les ficelles du business pour lequel je suis tombé.

– C'est un peu court comme renseignement.

– Tu parles ma poule ! C'est une mine d'or. Personne n'est au courant... ni les flics ni les juges. T'es assise le cul sur de la dynamite ma grande. Éclate-toi et ça te rapportera les honneurs. Et si tu as d'autres questions... et je te certifie que tu en auras d'autres, reviens me voir. Je te donnerai toutes les clefs dont tu auras besoin pour les faire chier.

– Alors tu n'auras plus d'assurance-vie et ils te tueront.

– Je suis loin de t'avoir tout raconté, ma chérie. Si tu savais qui est derrière tout ça, quel est l'enfant de pute qui se fait des couilles en or avec toute cette tripaille qu'il pique à mes girls et à d'autres, tu en resterais baba. Il est plus haut que tu ne puisses l'imaginer, même que si tu regardes bien la télé ces prochaines semaines, tu vas le voir bien souvent.

— Son nom.

— Va te faire mettre, ma poule. Je ne te le donnerai que le jour où tu auras tout ce qu'il faut dans ta caméra pour le faire plonger à tout jamais. Pour me l'amener tout chaud, tout rôti dans une des cellules de ce trou. Et là je t'assure que je ne risquerai plus grand-chose.

— Ça ne m'aide pas beaucoup.

— Je t'ai déjà donné énormément. Mais sache seulement une chose : s'il m'arrivait quoi que ce soit, je ferais en sorte que tu reçoives de quoi faire tomber le fumier qui dirige toute la combine... Rappelle-toi de ça : Ataraman Karzaï.

— Qu'est-ce que c'est ?

— Un code d'entrée. S'il m'arrive malheur, il te sera utile.

J'avais déjà entendu ce nom quelque part, mais étais bien incapable de me souvenir où et quand.

# 16

« *Channel Synchro 19 heures 30 :* Politique Show Time ! *Avec ce soir en direct et en exclusivité Assan Aly Akremy, représentant de la Chambre des Industriels et candidat à la présidence du Parlement. Et votre hôte comme tous les soirs durant la campagne, Walter M. Terragamo.*

*Bonsoir. La campagne électorale pour le renouvellement du Parlement le 12 mai prochain, est officiellement ouverte depuis hier, mais les sondages officiels des différents organes de presse et ceux, sans doute sujets à caution, des partis en présence ont depuis plusieurs semaines ouvert le débat. En effet, alors que sans discontinuer depuis 1993 le Grand Conseil des Annonceurs dirige Ouang Schock, les derniers sondages montrent pour la première fois un renversement de tendance chez les électeurs. Assisterons-nous dans moins de trois semaines à l'élection d'un parlement conservateur ? Impossible à dire aujourd'hui ; mais c'est en tout cas la grande question politique du jour. Avec nous ce soir Monsieur Assan Aly Akremy de la Chambre des Industriels.*

*— Bonsoir, Monsieur Terragamo.*

*— Bonsoir, Monsieur Akremy. Je ne vais pas tourner autour du pot et vous demande donc votre sentiment sur ces sondages.*

*— Alors pour ne pas tourner autour du pot cher Walter, je dirais qu'ils nous font très plaisir. Maintenant, il faut se garder de tout triomphalisme. Un sondage, vous le savez, et les téléspectateurs le savent aussi, est un état de l'opinion à un instant donné. Il a une valeur ponctuelle dans le temps, et un décideur politique ne doit jamais figer sa pensée en fonction d'un sondage.*

*— Comment expliquez-vous cette tendance ? Car on ne peut nier que depuis quatre ou cinq mois, les sondages ne cessent de donner votre courant gagnant pour la prochaine élection.*

*— Je pense sincèrement que les habitants de Ouang Schock ont pris conscience des graves manques du GCA dans la gestion des affaires publiques. Chacun d'entre nous en a d'ailleurs pris conscience. Il suffit de voir le prix des loyers, la difficulté à trouver un emploi pérenne, l'essor dangereux de l'immigration clandestine et la criminalité qui ravage toute la périphérie de la ville. La position du GCA qui ne veut traiter l'ensemble de ces problématiques que par le biais économique, sans jamais intégrer le moindre élément social, a atteint ses limites et conduit la ville dans une impasse dont tout le monde comprend bien qu'il*

*nous sera impossible de sortir si nous nous y enfonçons encore.*

*– Pourtant, le GCA peut s'enorgueillir de très bons ratios. La croissance du chiffre d'affaires de la ville cette année est de 8 %. Ce qui est un bon chiffre.*

*– De la même manière qu'il faut tempérer les sondages, il faut regarder et analyser les chiffres avec beaucoup de recul. L'année dernière, la Ankungbank, la plus grande plateforme de diffusion et distribution de l'Est-Asiatique, a annoncé un chiffre d'affaires en hausse de 12 %. Dans le même temps, elle procédait à un plan social qui mettait à la rue 12 000 personnes. Si l'on se contente d'observer le bilan comptable de l'Ankungbank, on voit une dynamique. Si l'on inclut le coût pour la ville des 12 000 suppressions de postes, alors nous sommes en récession.*

*– Ouang Schock serait en récession ? C'est ce que vous êtes en train de dire ?*

*– Je dis que le GCA refuse de prendre en compte le coût social de ses décisions, et ne dresse qu'un bilan comptable, qu'un bilan financier de son action. On ne peut plus tenir la valeur humaine pour une variable d'ajustement et considérer la population de Ouang Schock comme une ligne de plus d'un grand livre de comptes.*

*– Mais que proposez-vous exactement comme changements ? Avant de répondre, une petite pause de nos partenaires commerciaux.*

*Tata Defender. Le nouvel utilitaire à induction des usines Tata de Bombay. 600 kilomètres d'autonomie grâce à ses batteries au lithium pour une charge utile de 3 tonnes. Le seul utilitaire blindé équipé du système de sécurité anti agression breveté Tata Flameblade. Tata Defender : 15 000* sterlins *uniquement.*

Politique Show Time *! Deuxième partie avec Assan Aly Akremy, chairman de la Chambre des Industriels et candidat à la présidence du Parlement.*

*— Alors, Assan Aly ? Quels sont les grands projets de la CDI ?*

*— Holà, quel challenge ! Aurons-nous assez de l'émission pour les lister tous ?*

*— Vous pouvez néanmoins nous en dévoiler les plus importants.*

*— Le premier chantier sur lequel nous nous attèlerons sera celui de la santé. Vous savez comme moi que sur le point du respect de la personne humaine, les opinions de la CDI et du GCA sont diamétralement opposées. Nous voulons une médecine accessible à tous et respectueuse de la dignité humaine. Le GCA par contre, prône une médecine sélective, une médecine clairement destinée à ceux qui auront les moyens de se soigner, et surtout une médecine n'hésitant pas à utiliser le corps et la vie humaine comme pièces de rechange.*

*— Vous voulez parler du clonage thérapeutique ?*

*— C'est bien plus que le clonage thérapeutique, Walter. Et j'insiste sur ce point, car il est révélateur*

*des divergences d'approche de nos deux partis sur les défis à relever. Nous voulons une médecine pour tous, financée par l'effort de chacun et ne cherchant rien d'autre que le bien-être de la population. Le GCA au contraire, cherche à mettre en place une médecine industrielle qui génèrera des profits au détriment de la santé des plus démunis.*

*– Une dernière question qui n'est pas en rapport direct avec la campagne, mais qui a agité les médias ces derniers mois : Monsieur Liam Baodang, le secrétaire général de la National Ethic Fundation, l'une des plus importantes filiales de votre groupe Amina Funds Foods, et qui est également le trésorier de la CDI vient d'être relaxé du chef d'accusation de pédophilie. Pensez-vous qu'un verdict contraire aurait eu une influence sur les élections à venir ?*

*– C'est une question à laquelle on ne peut pas répondre, Walter. Maintenant, je pense qu'il faut cesser de parler de cette histoire. La justice a fait son travail et a totalement lavé Monsieur Baodang de ces accusations odieuses. Je pense d'ailleurs, au nom de la CDI, porter plainte pour dénonciation calomnieuse.*

*– Merci, Assan Aly. Au revoir. Et à la semaine prochaine pour un autre Politique Show Time où je recevrai Madame Esther Romitz, la directrice des services de police de Ouang Schock, au sujet de la recrudescence des affrontements violents entre les membres de Falulong et les Scientologues »*

Transcript d'écoute 133/67
FYEO : Romitz OSPD / Bao-Belenguer S7

Appel : 707 807 213 214
Recevant : 547 896 621 555

19 h 53
**Appel :** Alexandre, c'est Robert.
**Recevant :** Comment allez-vous Robert ?
**A :** Très bien. Avez-vous regardé la prestation d'Akremy sur Synchro ?
**R :** J'avais autre chose à faire.
**A :** Vous n'avez pas manqué grand-chose. Néanmoins, je me dois d'attirer votre attention sur les statistiques d'audience.
**R :** Je vous écoute.
**A :** 17 % de taux d'écoute…
**R :** Moui…
**A :** Je suis d'accord avec vous, mais il a eu un taux de rebond de 37 %.
**R :** Hou, c'est mauvais ça !
**A :** À qui le dites-vous, mon cher ami ? Les gens qui sont venus sont restés. Notre poussah des Indes accroche le public. D'ici à ce qu'il accroche les voix, il n'y a qu'un pas.
**R :** Bah la campagne est longue. Il est trop tôt pour en tirer des conclusions.
**A :** Sans doute. Avez-vous parlé à Jonah de cette histoire de veste d'ombre ?
**R :** Oui. Il a demandé à Mentor de regarder cela.

**A :** Mentor !!! Mais pourquoi envoyer ce dingue...
**R :** Méfiez-vous Robert. Si Mentor vous entendait.
**A :** Ah ne me faites pas frissonner, je vous en prie. Ce type me glace.
**R :** Glacial ou pas, il nous est très utile...
19 h 57

http://www.freewiki.co.os/wiki/ouangshock/criminalité/bloody_storm

Cet article est en cours de réalisation.

Notifiez les erreurs / Apportez votre contribution

Le 2 avril 2023 à 6 heures du matin, 1 200 hommes de l'OSPD (Ouang Schock Police Departement) intervenaient dans trois cent dix-sept immeubles de la zone 116.

À 8 heures 30, 896 personnes soupçonnées d'appartenir au **Mara Salvatrucha** ou MS-13 avaient été arrêtées et transférées au Front Dome, le grand stade de football aujourd'hui détruit.

À 14 heures 30, le tribunal exceptionnel créé pour l'occasion prononçait 700 sentences de mort et 196 peines de réclusion criminelle à perpétuité.

La première exécution eut lieu à 15 heures 27 dans l'enceinte même du stade. À 19 heures 12, le dernier condamné, Juan Manuel Esteranza, 17 ans, s'écroulait sous les balles de l'un des 27 pelotons d'exécution dressés pour l'occasion.

Ce jour est connu sous le nom : « Bloody Storm ».

## L'ENTENTE CORDIALE

D'après Mark Wesley Stonebridge, dans son livre sur la criminalité des gangs, deux théories distinctes, mais pas forcément contradictoires expliquent Bloody Storm.

– Officiellement, la décision d'en finir avec le MS-13 a été prise suite à trois années de baisse de fréquentation touristique de Ouang Schock, due à la réputation de violence de la ville et à une perte de 12,7 % des revenus de la ville.

– Officieusement, la mafia italienne, les triades chinoises et les narcotrafiquants colombiens auraient commandité l'opération pour se débarrasser de concurrents puissants, violents et totalement incontrôlables.

La première mention du MS-13 dans les documents officiels de l'OSPD, gang né au Salvador dans les années 1980 et qui a progressivement étendu sa sphère d'influence sur l'ensemble du continent américain, date de juillet 2016.

Un rapport de police fait état à cette date du meurtre de 6 membres d'un gang tués à coups de machette. Un *modus operandi* spécifique aux « traditions » du MS-13.

Stonebridge explique l'implantation du MS-13 à Ouang Schock par la volonté du gang d'étendre ses actions dans le trafic de drogue. Incapable de défier les narcotrafiquants colombiens sur leur terrain, le MS-13 pensait pouvoir imposer sa loi aux multiples petits trafiquants et producteurs du triangle du pavot (Laos/Birmanie/Ouang Schock).

Si dans un premier temps, les quelques victoires du MS-13 firent croire que leur tentative allait être couronnée de succès, la situation évolua rapidement.

Dès 2019, on assiste aux premiers affrontements entre les mafias et triades locales et des membres du MS-13.

## RENCONTRE AU SOMMET

Le 6 mars 2021 au Martinez, un hôtel cannois, une ville française, se réunirent les chefs des clans Lucchesi, Andolfi, et Caterogni, les représentants de la Porte Close et de l'Harmonie Dorée, ainsi que les aînés des 7 familles San Tse.

C'est à cette occasion que fut décidée l'opération Bloody Storm.

Officiellement, l'opération fut présentée comme le premier exemple de « la riposte Talion », une doctrine policière et judiciaire défendue par le préfet de police Tang Hewu et qui est encore aujourd'hui en vigueur.

« *On ne négocie pas avec le crime ! On s'en débarrasse. Nous répondrons au meurtre par la peine de mort ! Nous répondrons à la violence par la brutalité ! Nous répondrons à la criminalité par une détermination sans pitié ! Nous frapperons les auteurs, leur famille et leur entourage sans distinction de sexe et d'âge, afin que quiconque sache qu'il doit choisir entre la loi et le crime.* »

Transcript d'écoute 134/67
FYEO : Romitz OSPD / Bao-Belenguer S7

Appel : Crypté
Recevant : 654 879 654 654

20 h 02
**Appel :** Jonah, c'est moi.
**Recevant :** Bonjour Braban. As-tu appris quelque chose ?
**A :** La petite ne fait que commencer sa traque et n'a pas ramené grand-chose. Enfin rien dont la vieille pourrait faire son beurre. N'empêche, je pense qu'on ne devrait pas la laisser dans le coup trop longtemps. D'après son pedigree, c'est une bonne fouille-merde... On ne sait jamais ce qu'elle pourrait tirer des trouvailles de ta protégée. À ce propos, j'ai pu visionner les premières images. La petite est en relation avec Paritoshan. Un gars à nous.
**R :** Ah bien... voilà encore une chose que ce cher Alexandre n'avait pas réussi à savoir.
**A :** Tu l'aimes bien ce petit, hein ?
**R :** Il a les dents longues et il ira loin, mais il est encore un peu tendre.
**A :** Tu veux que je l'endurcisse ?
**R :** Laisse donc, la vie s'en chargera. Aujourd'hui, avec cette histoire, il croit construire un marchepied vers les sommets. Quand il comprendra que c'est également un beau collet, il prendra du cuir.
**A :** Pour Paritoshan, je fais quoi ?

**R :** Fais en sorte qu'il envoie la petite vers le bon endroit.
**A :** C'est inutile, notre ami à Gia l'a déjà mise sur la bonne piste.
**R :** Très bien.
**A :** Je pense qu'il ne nous est plus utile.
**R :** Fais comme tu veux...
**A :** OK. Je vais régler cela. Il me faut encore un peu de temps pour finaliser son testament. Et pour la vieille ?
**R :** Observe et tiens-moi au courant.
**A :** Tu savais qu'elle aimait les femmes ?
**R :** Une gouine !
**A :** Ouais, elle se tape ses stagiaires.
**R :** Tsss, tsss, tsss... Je n'aime pas les déviants. On ne peut pas leur faire confiance. Surveille-la de près et tiens-moi au courant.
**A :** Ce sera fait.
**R :** Au revoir, Braban... Au fait, tu n'oublies pas pour mon petit-fils ?
**A :** J'ai réservé le stand. Je vais lui faire griller une centaine de cartouches avec les gars du S7.
**R :** Je te remercie.
**A :** De rien. Au fait, j'ai pris 50 kash pour Kashguy sur la caisse.
**R :** Très bien... il en reste ?
**A :** Je vais avoir des frais pour la vieille.
**R :** Je règle ça.
20 h 13

# 17

Je suis ressortie de Gia totalement épuisée. Ma rencontre avec ce monstre m'avait littéralement vidée de mes forces. Je n'arrivais plus à marcher ou à penser normalement. Comment un type comme Fat pouvait-il faire partie de la même humanité que moi ? Comment pouvait-on à ce point mépriser la vie humaine ?

Je traînais dans le milieu du sang et du crime depuis longtemps, mais jamais encore je n'avais rencontré de type aussi diaboliquement inhumain.

Je suis passée rapidement à Télé7 pour remettre à Miutu les images de la veste d'ombre. Sa petite stagiaire était encore là.

– Tu ne derushes pas avec nous ?

– Oh non ! Je viens d'écouter Fat en direct pendant presque une heure, et je n'ai vraiment pas envie de remettre ça. Tu verras c'est un égout ce type... il ne vomit que de l'horreur et de la haine.

— Tu deviendrais humaine, ma belle ? C'est la première fois que je te vois atteinte par un reportage. Serait-ce parce que tu es personnellement impliquée ? Les premiers effets pervers...

— Je t'en prie, Miutu. Arrête avec ça...

— OK, OK... je vais donc me taper seule ton boulot.

Du pouce, je lui désignais sa stagiaire.

— Ne me fais pas pleurer, tu n'es pas si seule que ça.

Elle eut un regard très tendre vers la jeune femme qui se tenait debout un peu plus loin, discrètement hors de portée de notre conversation. Elle alluma une nouvelle cigarette.

— Tu n'imagines pas à quel point tu as raison ma belle. Cette fille est mon rayon de soleil...

— Moui... comme l'était la dernière et comme le sera le ou la prochaine, Miutu.

— Non, tu te trompes, Ashelle. Moïra n'est pas un croustillon comme les autres, c'est une vraie histoire.

J'ai souri.

— Tu dis ça de tous tes stagiaires.

— Moïra ne l'est plus depuis plusieurs semaines, Ashelle. Elle est au service sport. Et je n'ai pas demandé de nouveau stagiaire.

La nouvelle me laissa sans voix. Miutu se casait.

— Elle est vraiment aussi bien que ça ?

— La vie est simple avec elle. Simple et lumineuse comme une eau douce dans le désert. Je suis âgée, tu sais, et je croyais être rentrée dans l'ombre de la vieillesse. Moïra est arrivée et le cul-de-sac de ma vie s'est transformé en Smith boulevard. Elle est mon avenir, Ashelle, elle me donne envie de continuer.

— Tu es amoureuse ?

— Oui et c'est bon. Même si je crève de trouille à l'idée qu'elle me quitte pour quelqu'un de plus jeune.

— Tu découvres ainsi les effets pervers de l'implication personnelle dans un dossier, Miutu. Deviendrais-tu humaine ?

— Moque-toi, la sauterelle, mais au moins je ne suis plus seule.

— Ce n'est pas très gentil ça.

— Je ne parlais pas pour toi, Ashelle. Désolée si tu as pu...

— Laisse tomber. C'est moi qui délire.

Elle a posé sa main sur la mienne.

— Il m'a fallu presque soixante ans pour la rencontrer. Ça te laisse de la marge.

— C'est fou comme tu sais remonter le moral, toi.

— Je suis journaliste, Ashelle, pas psychologue.

Je la regardais et derrière son visage gris et ses rides je voyais comme le miroir de mon avenir. Ça ne m'enchantait guère.

— Au fait, Miutu, j'ai toujours eu envie de te poser une question.

— Laquelle ?

— Pourquoi ne m'as-tu jamais proposé la botte lorsque j'étais stagiaire ?

— Aurais-tu accepté ?

— Ce n'est pas ma question, Miutu.

Elle a gardé le silence pendant quelques secondes avant de reprendre.

— C'est sans doute la réponse dont tu devrais te contenter Ashelle. Mais comme tu veux toujours aller plus loin, je vais te répondre : ne t'en plains pas ensuite.

— Je t'écoute.

— J'aime les femmes douces et les hommes durs. Et tu n'es ni l'une ni l'autre.

Je n'ai rien répondu. Je l'avais bien cherché.

— Et mises à part ses horreurs, que t'a dit Fat d'intéressant ?

— Il m'a mise sur la piste d'une clinique qui pratiquerait la greffe à grande échelle. Il m'a aussi donné un nom : Ataraman Karzaï : ça te dit quelque chose ?

— Non.

J'ai laissé Miutu et sa Moïra en tête-à-tête devant mes images et me suis enfermée dans un Lockers pour me reposer un peu. Mais le sommeil n'est pas venu.

Je me suis déshabillée et me suis regardée dans la glace de la salle de bain. J'avais des salières dans le creux de la clavicule, des seins ronds avec des bouts roses, un petit nombril bien rentré, des jambes avec des espaces entre les mollets et le haut des cuisses, une touffe de poils bruns en houppette sur le bas de mon ventre... Un corps de femme pourtant.

Je me suis enroulée dans une serviette blanche et me suis tartiné les jambes de crème dépilatoire pour faire comme les dames dans les publicités et je me suis ennuyée.

Je me suis rasé le visage avec plein de mousse blanche et me suis envoyé une grande vague d'eau pour me rincer. J'ai essayé comme mon père de jeter avec ma main un peu d'eau sur le rebord du lavabo pour éliminer les petites pointes noires de barbe qui collaient à l'émail, mais il n'y avait rien que du blanc et une pointe de sang qui tombait d'une écorchure au menton.

J'ai repensé à Mylock et n'ai pas eu envie de pleurer.

J'ai pensé à mon père et des larmes ont coulé sur mes joues.

Je me suis demandé si Paritoshan pourrait me vendre un nouveau cœur... j'ai chanté *Somewhere over the rainbow*, et dans mon rêve, un chevalier ridicule m'ouvrait le corps pour chercher mon âme. Sans rien trouver.

## 18

C'EST LA NUIT que Ouang Schock est incontestablement la plus belle. Les rayons sans couleur du soleil ne l'habillent que de lumière, alors que les néons verts et rouges des *Sex Dômes*, les entrées d'or et de diamants des casinos, les explosions orange marbré de noir gras des spectacles de pirates, les éclats de sodium des phares des indus, les lampadaires qui hésitent entre le blanc, le bleu ou le jaune, et les panneaux plasma des publicités qui vomissent leur arc-en-ciel de rêves, parent la ville comme une femme en amour dans son boudoir.

Le jour, c'est le domaine des touristes en famille, de papas bedonnants avec chaussettes noires dans les sandalettes, des gniards à la gueule collante de sucre, des cars à veaux bondés de connards de mille et une nationalités, des pickpockets par grappe sur le Smith et des couples se tenant par la main sur Whimpole et dans les échoppes à souvenirs *made in* Zimbabwe. De jour, Ouang est ringard.

Mais la nuit, quand les rues deviennent rouges au soleil couchant, quand les chasseurs sont de sortie, quand on ne fait plus que rôder sans jamais marcher, quand on pénètre et s'introduit, quand on se réchauffe au rythme des bouffées de musique qui s'échappent de chaque porte qui s'ouvre, alors Ouang Schock est la plus belle ville du monde. La capitale de la terre.

J'avais téléphoné à Valencia pour l'interroger sur Paritoshan et Raman Kashguy et il m'avait demandé de le rejoindre vers minuit sur une scène de crime.

Ça se passait au septième sous-sol dans une ferme de booster de perso pour MMORPG[5]. Un Thaïlandais qui avait été égorgé par un client mécontent au sujet du vol d'une épée *vorpal* level 60. Un truc d'otaku[6] sans intérêt.

Les flics de base m'ont laissée passer sans contrôler mon identité devant d'autres journalistes qui m'envoyèrent des regards assassins.

5 Multi Massive Online Role Playing Game

6 Mot japonais désignant une pathologie psychosociale et familiale touchant principalement des adolescents qui vivent cloîtrés dans leur chambre devant leur ordinateur, en refusant toute communication et ne sortant que pour satisfaire aux impératifs des besoins corporels.

La ferme ressemblait à toutes les fermes. Un dortoir cantine d'un côté, une salle climatisée de l'autre avec 200 ordinateurs et les employés vissés à l'écran 7/7-24/24 à monter le niveau des persos de clients paresseux.

J'avisais Valencia dans un coin. Je m'étonnais que ce type se déplace sur un truc aussi stupide. Un meurtre comme ça ne faisait même pas le Goopeal de 3 heures du matin.

– La section 7 donne également dans les faits divers ?

– Si on vous le demande, Vren, vous direz que vous n'en savez rien.

– Vous n'avez pas besoin d'être désagréable, inspecteur.

– Je préfère être désagréable qu'imbuvable, Vren.

– Bon ! Alors, on va aller droit au but. J'ai eu un renseignement sur une clinique dans Mekong Ride Road. Est-ce l'une des cliniques sur laquelle vous avez enquêté ?

– Pourquoi vous répondrais-je, Vren ? Qu'est-ce que j'y gagne ?

– Vous savez pour qui je travaille, inspecteur, et vous savez ce que cette personne peut faire pour une carrière. Dans le bon ou le mauvais sens.

Valencia a eu un sourire bien cruel.

— J'aime les journalistes dans votre genre, Vren. Ceux qui ne se bercent d'aucune illusion et qui savent qui les paye.

— Je vous retourne le compliment, inspecteur. Un poulet qui comprend qui lui distribue son grain est un bon flic.

Il m'a regardée avec un sale sourire.

— Pour répondre à votre question, Vren, je n'ai pas enquêté sur cette clinique. Ni sur celle-là ni sur aucune autre...

— Je croyais que...

— Vous ne croyez rien du tout, Vren. Je n'ai jamais dit que nous enquêtions sur les cliniques. J'ai juste dit que nous avions les yeux et les oreilles ouvertes.

— Subtile nuance...

— Plus que vous ne le pensez, Vren. Car si nous avions enquêté, cette clinique serait fermée et ses propriétaires dormiraient à Gia.

— Elle fait donc partie de ces cliniques qui pratiquent la greffe d'organes.

— Attention, Vren. Ne me faites pas dire ce que je n'ai pas dit. Plusieurs cliniques pratiquent la greffe d'organes. Certaines le font légalement, d'autres ont moins de scrupules. Celle dont vous parlez ne s'inquiète ni de la provenance des organes, ni du consentement des donneurs.

— J'ai compris que vous n'aviez pas enquêté sur le sujet, mais avez-vous la moindre idée sur l'identité des propriétaires de la clinique ?

– Officiellement, la clinique appartient au docteur Kazuo Kantikano. C'est lui qui est en vitrine... maintenant, il me paraît évident qu'il n'est qu'un prête-nom. Ceux qui tirent les ficelles, les vrais commanditaires, sont ailleurs. Et encore, je ne devrais pas parler de commanditaires au pluriel... car si on voulait taper sur la pointe supérieure de la pyramide, il faudrait parler au singulier.

Je commençais à me dire que la conversation devenait intéressante et que j'avais bien fait de conserver sur moi la veste d'ombre.

– Vous pensez qu'il n'y a qu'un seul homme derrière ce trafic ?

– Méfiez-vous des raccourcis, Vren. Quand je parle d'un commanditaire, je ne parle pas d'un chef suprême qui dirigerait toute la mécanique d'une main de fer. D'un *Deus ex machina* qui récolterait dans ses mains avides l'ensemble du fric généré par ce trafic. Non, je vois plutôt un homme de pouvoir qui se tient au centre de cette nébuleuse et qui actionne les manettes pour que tout avance dans la direction de son choix. Sans lui, rien ne peut se faire, rien ne peut avancer correctement... mais il n'est pas le chef en ce sens qu'il ne donne pas d'ordre, qu'il ne dirige pas une bande précise.

– J'ai du mal à vous suivre.

– Ça ne m'étonne pas, Vren. Je vais essayer d'être plus ras du sol. Un trafic quel qu'il soit se compose de 4 éléments : un désir non assouvi, des acheteurs, des vendeurs et un circuit de distribution clandestin, avec en prime toutes les petites mains nécessaires pour en assurer le bon fonctionnement. Dans notre cas, des médecins, des infirmières, des ambulanciers, des douaniers conciliants. Pour que cet ensemble fonctionne sans heurts et surtout sans guerre entre les différents intervenants, il faut une volonté. Il faut que quelqu'un s'assure que chacun ait sa part du gâteau, que chacun reste à sa place et que le trafic puisse prospérer.

— Mais comment se rémunère-t-il s'il n'est pas le chef ?

— Encore une fois vous refusez de regarder plus loin que le bout de votre tout petit nez, Vren. Vous voyez écrit « trafic d'organes » et vous pensez immédiatement gros pognon.

— C'est vous-même qui m'avez donné une estimation des sommes générées par ce trafic.

— Exact, Vren. Des centaines de millions de *sterlins*... une montagne de pognon. Mais, de là où il se trouve, notre homme considère peut-être cette montagne comme une simple petite colline.

Valencia s'est tu et je l'ai regardé avec des yeux ronds. Je ne comprenais rien à son baratin.

— L'argent du trafic n'est peut-être pas ce qui le motive, Vren. Peut-être que cet homme a intérêt à le faire fructifier pour favoriser ses propres activités. Peut-être que ses activités génèrent encore plus de fric que ce minable trafic.

— Si je vous comprends bien, le trafic serait un paravent pour une opération encore plus rentable ?

— On peut résumer cela comme ça.

— Connaissez-vous un dénommé Paritoshan ?

— Le vieux grigou ! Bien sûr que je le connais. Il donne dans le trafic de chair humaine maintenant ?

— C'est avec lui que je suis en contact.

— Hum... Je serais vous, je me méfierais de lui. C'est le plus beau tordu que j'ai jamais rencontré. Il vend tout, encaisse le fric et ne livre jamais rien. C'est du moins sa réputation.

— Comment se fait-il qu'il soit toujours en activité, s'il vole tout le monde ?

— Il ne vole pas toujours. Il sait très bien qui dépouiller. C'est un malin. Et puis, il doit avoir des appuis, mais je n'en sais pas grand-chose.

— Vous ignorez donc certaines choses qui se passent dans cette ville. Je croyais la section 7 infaillible.

— Mais elle l'est, Vren, elle l'est. Seulement, elle est compartimentée. Je me renseigne sur le crime organisé, pas sur les affaires politiques. Chacun son espace et les cochons seront bien gardés. Vous voyez ce que je veux dire ?

— Ce que je comprends, c'est que Paritoshan aurait trempé dans une ou plusieurs affaires politiques.

— Je n'ai pas dit cela.

— Bien sûr... mais j'ai appris à votre contact que vous disiez beaucoup plus de choses dans vos silences que dans vos paroles.

Il a eu un petit sourire en forme d'acquiescement.

— Paritoshan est une petite crapule, Vren, un grumeau du monde de la pègre et je le connais pour ça. Raman Kashguy, dont vous vouliez également me parler, est un gros poisson. Un vrai dangereux. Lui, il trempe dans tout ce qui est sombre dans la ville. Son nom apparaît partout et même si je n'enquête pas dans le domaine politique, il est de notoriété publique qu'il a été mêlé à certaines affaires politiques... Cherchez dans vos archives ce que vous avez sur l'affaire Matesa. Vous verrez par vous-même...

— OK, je le ferai... mais le rapport avec Paritoshan ?

Il ne me répondit pas.

— Une dernière chose, inspecteur. Le nom d'Ataraman Karzaï vous dit-il quelque chose ?

Il a eu l'air surpris de ma demande. Mais il m'a répondu par la négative.

http://www.freewiki.co.os/wiki/ouangshock/criminalité/matesa

Cet article est en cours de réalisation.

Notifiez les erreurs / Apportez votre contribution

En février 37, devant les difficultés de cash flow de la ville et le taux de change avantageux avec le dollar, le conseiller Matesa de la CDI proposait au Parlement un amendement garantissant l'exonération des droits de production intérieure aux industriels exportant tout ou partie de leur production vers les États-Unis.

Votée en avril 2037, cette disposition fiscale fut connue sous le nom d'amendement Matesa.

Ephraïm Kouruba, trésorier général de la CDI, fut le seul parlementaire à s'opposer à cette disposition, la jugeant contre-productive et dangereuse. Ses prises de parole nombreuses dans les médias et son forum sur la toile trouvèrent un grand écho dans la population. D'autant plus que six mois après la promulgation de la loi, les services de l'OSPD découvraient une série d'entrepôts remplis de marchandises défectueuses soi-disant exportées depuis plusieurs mois.

Les industriels mêlés à l'affaire profitaient de l'amendement pour exporter fictivement leurs invendus et rebuts de fabrication et encaisser les exonérations fiscales.

L'amendement Matesa ne fut pas pour autant abrogé, malgré les attaques de plus en plus violentes de Kouruba et la réprobation de l'opinion publique.

Néanmoins, une commission d'enquête fut créée à sa demande et sous son autorité pour examiner plus avant l'ensemble des dossiers « Matesa » déposés au ministère des Finances.

En décembre 37, un jeune inspecteur des Affaires générales, Bao Belenguer, alertait sa hiérarchie sur une rumeur de contrat passé sur la tête d'Ephraïm Kouruba.

L'ordonnateur du contrat était Waly J. Crick, affairiste véreux qui était en relation professionnelle avec Kouruba pour le rachat d'un immeuble que le trésorier général voulait mettre en vente. Le tueur engagé par Crick, un certain Raman Kashguy, avait lui-même prévenu Belenguer du contrat.

Une surveillance policière fut mise en place, mais n'empêcha pas Ephraïm Kouruba d'être abattu devant chez lui le 24 décembre 2037 de deux balles de 7-65.

Présent sur les lieux, Bao Belenguer déclara avoir vu Crick et Kashguy dans une voiture devant le domicile du trésorier et Crick sortir de la voiture pour tirer sur le trésorier.

Crick jura qu'il n'avait jamais quitté la voiture pendant que Kashguy affirmait avoir refusé d'exécuter son contrat au prétexte d'un différend financier.

Le procès de Crick ne permit pas de faire la lumière sur les mobiles de l'assassinat du Trésorier. La vente de l'immeuble qui liait les deux hommes n'ayant pas encore été signée, Crick ne gagnait rien à la disparition de Kouruba. Au contraire même.

Néanmoins, Crick fut reconnu coupable et condamné à douze années de réclusion à Huan Gia. Raman Kashguy écopa de trois ans, mais fut gracié au bout de six mois par le conseiller Jonah Quinte, en charge des affaires judiciaires au GCA.

Liam Baodang, attaché parlementaire de Kouruba, devint trésorier général de la CDI. Aucune voix ne s'éleva pour mettre en avant le fait que Baodang était le P.D.G. de la Feeding Corp, une des sociétés mise en cause par la première enquête de police sur les détournements de l'amendement Matesa.

## 19

IL N'Y A RIEN de mieux que jouir pour se reposer. C'est Miutu Muy qui m'a appris ça à mes débuts. Si elle ne m'avait jamais proposé la botte, elle m'avait fait découvrir les plaisirs des latex-boys.

Au début, j'avais été choquée qu'elle puisse les utiliser et pire encore, qu'elle ose me proposer d'essayer. Puis, avec le temps et quelques verres, je m'étais laissé aller et j'avais accepté d'utiliser un homme pour jouir sans arrière-pensée.

« Pourquoi faudrait-il aimer pour jouir, Ashelle ? Où est-il inscrit dans ton patrimoine génétique qu'il faille que ton cœur palpite pour que ton cul se réjouisse ? Réveille-toi ma belle, les femmes ont le droit de jouir ! »

Je connaissais un texclub du côté de Beeka et j'y suis allée pour mettre mes idées au clair.

Je ne dirais pas que j'étais une habituée de l'endroit, mais j'y avais suffisamment traîné mes guêtres pour ne pas perdre de temps à choisir un modèle. Au début, comme tout le monde j'imagine, j'avais joué avec les couleurs de latex et les différentes « Naked Part ». Aujourd'hui, je prends du noir et le corps entièrement recouvert pour ne rien voir du boy. Je me fous de son humanité et ne l'utilise que pour son sexe, et c'est bien comme ça.

J'ai pris une demi-heure, je n'avais pas besoin de plus pour me remettre en forme avant d'attaquer la clinique, un conapt[7] standard et une formule simple.

Le conapt était confortable, avec des murs bleu pâle et un matelas blanc et une surcouette fraîche et moelleuse. Je me suis allongée et ai retiré mon pantalon et ma culotte. Mon latexboy est entré à ce moment-là. De taille moyenne avec un corps bien dessiné sous sa combinaison noire et son sexe déjà dressé avec le gland noir et brillant comme un globe d'ébène. J'aime ce moment, cet espace de temps pendant lequel je regarde ce corps et ces muscles luisants, cette tige pointée, et l'absence d'humanité que le plastique confère à mon esclave sexuel. Il s'avançait vers moi et de la main je lui intimais l'ordre de marcher à quatre pattes, lui ordonnait de devenir taureau et d'être ma bête et mon maître, le forçait à courber l'échine

7 Chambre lit en forme de tube de deux mètres vingt de diamètre

et dresser sa verge, le dirigeait sous mon désir et lui demandait de me pénétrer, de s'enfouir en moi et d'abandonner son sexe à mon ventre, à fuir le plus loin possible pour que je ne garde que ce pieu vibrant en moi.

J'aime sentir cette chair gainée se frayer un chemin dans mon ventre, sentir le frémissement des fesses de l'homme qui pousse et se contracte, qui souffle et se tend. Ce moment où mon vagin s'emplit de lui et l'emprisonne.

Ça commence toujours par le ventre... une chaleur molle et irradiante qui tourne en spirale et gonfle, gonfle, gonfle comme un soleil fabuleux. Un plaisir sans mot et sans nom qui gagne mes cuisses et mes fesses, qui caracole dans ma poitrine et s'enfle sous le lent va-et-vient du latexboy entre mes jambes. Ça grimpe en corolle dans ma gorge, gagne mes yeux et emplit mon cerveau de vide lumineux. Je ne cherche plus rien alors, je laisse mon esprit s'envoler et mon corps tout entier s'abandonner à ce mouvement de joie.

C'est un peu comme une cascade qui s'enrichit à chaque rebond, une boule qui grossit en moi et me dépasse. Et puis une explosion qui rayonne jusque dans mes dents, mes ongles et mes cheveux. Une onde qui m'éblouit et me coupe de la vie pendant quelques secondes... puis je repousse cet anonyme silencieux qui me gêne et l'expulse du conapt.

Je suis allongée, les jambes ouvertes et le souffle court.

# 20

*« Goopeal news, l'actualité du matin en six minutes et en images. Parfum de scandale sur la conférence bioéthique hier, quand le Grand Mufti de Ouang Schock, Sardanapam Hamed Bechar, s'en est pris personnellement aux représentants du GCA et du CDI présents dans la salle : « Vos appétits d'argent ont fini par vous ciller définitivement les yeux et le cœur. Vous ne voyez plus dans la vie et l'homme qu'une succession de produits financiers à moyen terme. Prenez garde à la conscience de l'humanité et à la colère de Dieu. Le temps du veau d'or ne durera pas éternellement » / Au deuxième jour de la campagne électorale, le groupe sécessionniste des 27 chefs d'entreprises du secteur vidéo ludique, a exigé la démission du trésorier de la CDI, Monsieur Liam Baodang, en préalable à leur entrée dans le groupe de la CDI / Le directeur des relations externes de l'hôpital Dzerjinski a annoncé ce matin le décès de Five Q des suites des blessures reçues lors de son combat contre Osseman*

*Drive en finale de la Street Fight League. Joint par nos équipes, Osseman s'est refusé à tout commentaire public, mais s'est déclaré très affecté par cette perte pour le sport / Reprise des combats dans le Nord syrien entre les troupes fédérales coptes et la milice chiite gouvernementale. Les troupes de l'ONU prises entre les deux feux ont annoncé de lourdes pertes. De source non officielle, on parle de 137 morts dans les rangs des Casques bleus / Ouverture aujourd'hui du championnat du monde de strip-tease au Gran Slam. La présidente du jury, Sonia Ladouce, a annoncé un spectacle à faire « bander les saints du paradis » / Drame de la jalousie dans le quartier Veron Blake : un jeune homme de 17 ans empoisonne le réservoir d'eau du lycée Lao Tseu et cause la mort de treize lycéens / c'était Goopeal News »*

Le docteur Kazuo Kantikano ressemblait à Mylock. Grand, mince, avec des cheveux noirs et épais qui tombaient en casque autour de son visage. De longues mains fines et un visage aux traits vifs avec une peau veloutée comme celle d'une pêche jaune.

J'avais pris rendez-vous avec lui en ma qualité de journaliste à Télé7 et fille d'un homme en attente d'une greffe. Sans vouloir douter de la déontologie du docteur Kantikano, je crois pouvoir affirmer qu'il me recevait avant tout pour ma profession.

Mekong Ride Road est une rue calme et verte du quartier résidentiel de la Bekka. Il n'y a ni commerce, ni cercle de jeu, ni entreprise aucune... simplement de petits immeubles de quatre ou cinq étages, à la façade blanche et balcons noirs tirés au cordeau. Beaucoup de verdure aussi, avec des saules pleureurs et des bouleaux délicats le long des rues larges et calmes. Quand j'étais petite, mon père aimait à m'y emmener pendant les soirées d'été. Parce que c'était calme, parce que c'était hors du temps, parce que cela ne ressemblait pas du tout à Ouang Schock. Il me tenait la main et me racontait les forêts de son enfance sur le versant sud de la montagne, le chant des oiseaux et les odeurs de mousse... Il me racontait tout cela et je m'ennuyais car j'ai horreur du vert et de la nature en général.

Il n'y a pas pire vision pour moi qu'un champ de blé vert sous un ciel bleu. C'est mort. Rien ne bouge et rien ne se passe.

Mais baste...

La clinique se trouve au bout de Mekong Ride et donne à l'ouest sur un square et à l'est sur un jardin intérieur dans lequel les patients convalescents prennent le soleil et l'air si tant est que la pollution leur en laisse la possibilité.

Le bureau de Kantikano donnait sur le square et les 20 mètres carrés de son intérieur étaient meublés luxueusement, mais sans ostentation. Au premier coup d'œil, on comprenait que cet homme était riche, très riche, et qu'il baignait dans ce luxe depuis longtemps. Il ne s'entourait pas de belles choses pour en imposer, mais simplement parce que cela allait de soi.

Il se tenait derrière son bureau, les mains jointes devant le menton.

— Ainsi donc votre père est actuellement aux soins intensifs de l'hôpital Central ?

— Il y a été admis il y a deux jours. Jusque-là son état ne le nécessitait pas.

— Je ne comprends pas bien pourquoi vous voudriez le faire transférer ici ? L'hôpital Central a très bonne réputation. Et dans son état, cela risque d'être préjudiciable à sa santé.

— Et s'il reste là-bas, il mourra. Mon père a besoin d'une transplantation rein-poumon dans les plus brefs délais docteur, et le Central n'est pas en mesure de lui fournir ces organes.

— Je ne vois pas bien ce que je peux faire pour vous, Mademoiselle Vren. Si l'hôpital Central n'a pas les... les éléments nécessaires à l'opération de votre père, je ne peux rien pour vous.

— L'hôpital Central compte sur la voie officielle pour obtenir ces éléments, comme vous dites.

— C'est la seule voie légale, Mademoiselle.

— Je me fous de la légalité, docteur. Il s'agit de la vie de mon père, comprenez-vous ? S'il faut, pour le sauver, que je m'affranchisse de la légalité, je le ferai.

Kantikano restait de marbre et ne quittait pas son air sérieux et distant.

– Je ne peux que vous comprendre et vous plaindre, Mademoiselle. Mais encore une fois, qu'attendez-vous de moi ?

– Il y a d'autres moyens que la liste d'attente docteur, et vous le savez très bien...

– Je ne vois pas de quoi vous parlez, Mademoiselle.

– Je ne vous demande pas de me trouver un rein et un poumon pour mon père, docteur, je vous demande juste d'effectuer la greffe lorsque je les aurai trouvés.

Kazuo Kantikano s'est levé de son fauteuil et de la main m'a désigné la porte de son bureau.

– Je regrette Mademoiselle Vren. Je ne comprends rien de vos propos et n'ai pas envie d'en entendre davantage. Je dirige une clinique spécialisée dans la chirurgie réparatrice et je n'ai rien à voir avec les greffes d'organes...

Puisque cet imbécile ne voulait rien comprendre, j'ai mis les pieds dans le plat.

– Je suis en contact avec Paritoshan...

Il s'est arrêté net et m'a regardée avec ses yeux perçants.

– ... et j'ai eu votre nom par Raman Kashguy.

Et là, pendant un instant, j'ai vu passer la peur dans ses yeux.

— Je ne plaisante pas, docteur Kantikano. Vous devez sauver mon père.

— Je... euh...

— Vous allez organiser son transfert dans votre clinique et l'opérer. J'ai les moyens de payer.

Il a hésité encore une seconde avant de lâcher prise.

— Pour les organes, comment comptez-vous...

— J'attends le donneur d'un jour à l'autre.

— Ah, je vois... Que l'on soit bien clair, Mademoiselle Vren : j'opérerai votre père, mais ne serai aucunement responsable des éventuelles complications administratives et médicales. Vous me fournirez... ou plutôt Paritoshan vous fournira les documents qui couvriront ma responsabilité et celle de la clinique. Si je n'ai pas les documents, je n'opère pas. Et je veux être payé d'avance. Votre père sera officiellement ici pour chirurgie plastique. Est-ce bien clair ?

C'était étonnant de voir à quelle vitesse ce type était passé de l'autisme à la direction des opérations. Cela confirmait l'hypothèse selon laquelle il n'en était pas à son coup d'essai. S'il n'y avait eu la vie de mon père en jeu, j'aurais sans doute négocié les tarifs en lui parlant de son implication dans l'histoire Fat. Mais je n'avais pas envie de jouer ce jeu-là maintenant... peut-être en serait-il différemment après l'opération.

— C'est très clair, toubib.

Transcript d'écoute 158/97
FYEO : Romitz OSPD / Bao-Belenguer S7

Appel : Crypté
Recevant : 547 896 621 555

15 h 57
**Appel :** Qu'est-ce que c'est que cette histoire, nom de Dieu ?
**Recevant :** Que... Ah ! Bonjour Monsieur...
**A :** C'est ça, bonjour, Alexandre. Alors qu'est-ce que c'est que ce bordel ?
**R :** Je ne comprends pas, de quoi parlez-vous, Monsieur ?
**A :** Ce truc avec les 27, bon sang ! Depuis quand ont-ils le droit d'exiger le départ de Baodang sans m'en avertir ? Ils veulent tout foutre en l'air ou quoi ?
**R :** Aaaah... Non, non, ne vous inquiétez pas, c'était prévu.
**A :** Comment ça c'était prévu ? Qu'est-ce qui était prévu ? Je n'étais pas au courant.
**R :** Baodang faisait des difficultés, Monsieur, j'ai donc décidé...
**A :** Vous avez décidé !!! Depuis quand pouvez-vous décider quoi que ce soit sans m'en avertir au préalable, Alexandre ?
**R :** Comme Baodang faisait des difficultés, j'ai pensé...
**A :** Nom de Dieu de bordel de merde ! Mais qui vous a permis de penser ou de décider quoi que ce soit ?

**R :** Je ne voulais pas vous ennuyer avec cela, Monsieur. Mais Baodang traîne des pieds depuis que vous avez refusé de le rencontrer, et j'ai voulu lui mettre un peu de pression. Histoire qu'il comprenne bien que, s'il ne marchait pas droit, nous avions les moyens de le renvoyer dans le néant.
**A :** Je suis furieux, Alexandre. Furieux ! Je vous tiens personnellement responsable pour tout ce qui va arriver sur ce dossier. Si Baodang ne joue pas son rôle à cause de cela, je vous brise en mille morceaux…
**R :** Il va jouer son rôle, Monsieur…
**A :** Je vous le conseille, Alexandre…
**R :** Je l'ai eu au téléphone et il m'a dit que nous aurions les papiers aujourd'hui. Je les intégrerai dans la base du BNE avant ce soir…
**A :** Ah… bon. Mais ne recommencez jamais ce petit jeu Alexandre. C'est moi et moi seul qui décide dans cette affaire. Est-ce clair ?
**R :** Oui Monsieur.
**A :** Et dites à Robert que je ne veux aucune image des 27 à l'antenne… on parle d'eux, mais on ne les voit pas. C'est compris ?
**R :** Oui, Monsieur.
16 h 03

**Télé7**
**Note interne**

De : Robert Wang Cheun May / Direction des programmes
À : Alexandre Lautre / Bureau de la direction

Le 10/10/2057

J'ai reçu ce matin de notre service des affaires criminelles copie d'une demande de Mlle Muy au BIVSOP[8]. Je me permets d'attirer votre attention sur ce point car la demande concerne les opérations de la Indeed Company.
Je n'ai hélas pas pu bloquer la demande, mais m'assurerai du contenu de l'étude avant de la valider.
Je pense qu'il serait bon d'en avertir M. Quinte.
Si vous pensez que cela soit pertinent, je peux convoquer Muy pour exiger quelques explications. Cela ne paraîtra pas étrange, les procédures en vigueur au niveau comptable m'encouragent à de telles vérifications. Je pourrais ainsi savoir ce qu'elle cherche précisément.
J'attends votre retour pour agir.

8 Bureau international de Vérification et de Surveillance des Opérations de Bourse. Organisme indépendant basé en Suisse.

# 21

Je suis allée à l'hôpital pour les avertir qu'une ambulance allait venir chercher mon père dans l'après-midi. Le chef du service a tenté de m'en dissuader.

– Votre père est très faible, Mademoiselle Vren. Je ne crois pas que ce soit une bonne idée de le déplacer.

– Que faudrait-il que je fasse alors, docteur ? Au prétexte du risque, je ne devrais rien tenter pour le sauver et le laisser ici, avec la certitude qu'il va mourir ?

– Nous faisons tout ce qui est en notre pouvoir pour le sauver, Mademoiselle.

– Je le sais bien docteur et je ne vous reproche rien. Mais pouvez-vous m'affirmer que vous allez lui trouver un rein et un poumon dans les heures qui viennent ?

– Vous savez bien que je ne peux pas vous promettre une chose pareille.

— Nous sommes bien d'accord, docteur. Je vais donc faire transférer mon père.

Il m'a lancé un regard interrogateur et perçant.

— Je sais ce que les rumeurs racontent, Mademoiselle. Je sais également ce que certains osent promettre à des personnes en plein désarroi. Méfiez-vous de ces porteurs de bonnes nouvelles. Greffer un organe n'est pas une opération banale, quoi qu'on en dise. Le corps humain a ses raisons que la technique moderne ne comprend pas.

Il s'est tu et je n'ai pas répondu.

— Ce que je veux vous dire, c'est que vous allez certainement faire tout ce qui est en votre pouvoir pour sauver votre père. Vous risquez même de vous endetter pour espérer le sauver mais cela ne servira à rien...

J'ai eu un instant d'hésitation avant de lui répondre. J'avais peur de comprendre.

— Êtes-vous en train de me dire que mon père ne peut pas être sauvé ?

— L'état physiologique de votre père n'est pas bon, Mademoiselle. Vous le savez bien. L'opérer aujourd'hui est un risque que je ne prendrais pas s'il m'en était donné le choix. La seule chose que l'on puisse faire est de l'aider à finir sa vie sans souffrances.

— En début de semaine, vous m'aviez dit qu'il pouvait être sauvé.

— Aujourd'hui, vous êtes en pleine forme. Demain, vous pouvez être malade. La médecine n'est pas une science exacte et la vie et la mort ne sont pas prévisibles. Ce qui était vrai il y a une semaine ne l'est plus.

— Vous m'aviez assuré que...

— Vous pouvez m'accuser d'incompétence ou de mensonge, Mademoiselle. Vous pouvez chercher partout l'erreur humaine qui serait la cause de la mort de votre père. Vous pouvez maudire les dieux et déverser votre rage sur le monde entier. Cela ne changera rien à la vérité. Votre père va mourir... et personne n'y peut rien.

J'avais les larmes aux yeux et envie de boxer ce médecin calme et tendre qui m'ouvrait les yeux sur l'inéluctable. J'avais envie de lui dire tout ce que je n'avais jamais eu le temps de dire à mon père pour qu'il comprenne que le vieux ne devait pas mourir. J'avais envie de lui expliquer que je n'avais pas entendu la voix de mon père depuis plusieurs semaines et qu'il ne m'avait pas dit adieu.

Il m'a posé la main sur l'épaule tout doucement.

— Je vais donner les instructions pour que vous puissiez faire transférer votre père.

Puis il s'est éloigné.

Mon père semblait encore plus décharné. Ses mains n'étaient plus qu'un assemblage d'os et de tendons. Une mécanique grippée. Un insecte pétrifié. Ses joues creuses faisaient ressortir l'arc sec de son nez et les dômes pâles de ses yeux fermés. Le drap remonté sur sa poitrine bougeait imperceptiblement et la lumière d'or du soleil par la fenêtre dansait dans la poussière de l'air.

Assise sur une chaise à armature d'acier et dossier en fils plastiques tendus, je n'osais pas le regarder. Je priais... non, je ne priais pas. Personne ne m'avait appris ces choses-là. Et à Ouang Schock on ne loue pas Dieu. La ville ne lui appartient plus depuis bien longtemps. Ou alors, elle appartient à beaucoup trop de dieux. J'ai lu un jour que Ouang abritait 37 églises différentes : catholique, juive, pentecôtiste, musulmane, sédévacantiste, orthodoxe, mormone, scientologie... 287 sectes diverses, et 83 cultes sataniques.

Au fond de moi, une petite voix se faisait entendre et m'emplissait tranquillement de honte. Pourquoi voulais-je faire opérer le vieux ? Pour le sauver ou pour gagner mes galons de présentatrice ?

Deux infirmiers sont entrés dans la chambre pour emmener mon père. L'un d'eux m'a invitée à passer à l'administration pour signer les papiers du transfert.

Même à Ouang, la patrie de l'entreprise et de l'initiative privée, les démarches administratives savent vous foutre les émotions en l'air.

J'avais à peine fini de signer les huit décharges et parapher les trois dossiers de sortie lorsque j'ai reçu un message sur mon e-Me. Sur le coup je n'ai pas compris ce qu'il voulait dire : « Si vous voulez des nouvelles de votre paquet, retrouvez-moi ce soir à 20 h au *Jungle Rumble* ». C'était signé P.

Il m'a fallu plus de dix secondes pour comprendre que c'était un message de Paritoshan. Et je ne l'ai pas compris grâce à l'initiale, mais par le choix du rendez-vous. Le *Jungle Rumble* c'est une arène pour combat d'animaux. Un truc pour les amateurs de sang et de violence... un machin qui, dans le temps, avait été sérieusement attaqué par les ligues de protection des animaux. Mais leurs cris d'orfraie n'avaient eu aucun résultat. Le compte d'exploitation du *Jungle Rumble* était trop beau pour que la morale triomphe dans cette affaire. Et puis, pour être honnête, se scandaliser pour trois bestioles qui s'étripent et regarder sans moufter la Street Fight à la télé, c'est un peu l'hôpital qui se fout de la charité.

Le succès du lieu tient à la variété des combats et au fait que lors de son lancement les organisateurs ont eu l'idée de génie de faire combattre certaines espèces en voie de disparition. L'impact avait été énorme. Voir mourir le dernier tigre du Bengale semblait être un sujet d'excitation suprême pour un certain nombre d'individus à travers le monde et à Ouang.

J'y avais été quelquefois, mais je n'étais pas fanatique du binz. Je n'aime pas les combats sans intelligence.

Je ne sais pas pourquoi, mais c'est ce côté brut et sans concession qui m'a convaincue qu'il s'agissait de Paritoshan. Et je n'avais pas tort.

Le trajet en ambulance fut rapide même si le chauffeur n'utilisa pas sa sirène. Nous avions à peine franchi les portes de la clinique de Kantikano, qu'une femme en tailleur gris me remit un dossier à lire et à signer. L'administration toujours. Une dizaine de pages pour décharger la clinique et le chirurgien de toutes responsabilités en cas d'éventuelles complications et un document détaillant par le menu l'ensemble des coûts liés à l'opération et à la durée du séjour. Un rapide calcul me fit comprendre que j'en aurais pour à peu près cent mille *sterlins*. Mes gains de la finale fondaient comme neige au soleil.

On a installé le vieux dans une chambre seule dans une aile à part de la clinique. Je compris qu'on ne tenait pas à ce qu'il ait trop de contact avec les malades dits normaux.

Transcript d'écoute 159/112
FYEO : Romitz OSPD / Bao-Belenguer S7

Appel : 157 845 777 652
Recevant : 157 845 777 687

17 h 46
**Appel :** Miutu, c'est moi.
**Recevant :** Ashelle...Où es-tu ?
**A :** Je viens de laisser mon père à la clinique et je dois retrouver Paritoshan pour récupérer le donneur.
**R :** C'est bon ça. Il faudrait que tu passes. J'ai des choses à te montrer.
**A :** Quel genre ?
**R :** J'ai fait des recherches sur les financiers de ta clinique, ma belle, et j'ai trouvé des choses étranges.
**A :** Étrange ? Que veux-tu dire par « étrange » ?
**R :** Je ne sais pas encore exactement, car je n'ai pas tous les éléments. Tout ce que je comprends pour l'instant, c'est que rien n'est aussi clair qu'il y paraît. J'ai l'impression que quelqu'un essaye de faire passer ta clinique d'un propriétaire à un autre...
**A :** Qu'est-ce que tu veux dire ? Je ne comprends pas.
**R :** Moi non plus je n'y comprends rien, ma belle. Voilà pourquoi j'aimerais que tu passes me voir. À deux, nous devrions y voir plus clair.
**A :** Oh, oh ! Serait-ce un aveu de ta part ?
**R :** Un aveu ? Quel aveu ?
**A :** Que je suis une bonne journaliste !
**R :** ...

**A :** Si tu as besoin de moi pour comprendre, ça veut dire que je suis bonne et que tu le reconnais.
**R :** Pfffff... Ashelle, si tu en es encore là, c'est grave.
**A :** Oh bon, laisse tomber...
**R :** Il faut aussi que je te parle de tes deux zozos-là : Paritoshan et Kashguy.
**A :** Tu as quelque chose sur eux ?
**R :** Tu m'écoutes quand je parle ou mes paroles ne font que traverser le désert de ton cerveau ? Si je te dis qu'il faut que je te parle de ces deux lurons, c'est que j'ai du nouveau. Alors quand passes-tu ?
**A :** Dès que j'aurai déposé mon gars à la clinique, je passe te voir au bureau.
**R :** Non, non. Passe à la maison. C'est l'anniversaire de Moïra et je suis en train de lui préparer une surprise.
**A :** OK, à tout à l'heure.
17 h 52

## 22

« *Jungle Rumble* 24 hours a day ». Sur la façade rouge du bâtiment, accroché juste sous les tuiles du toit aux extrémités recourbées comme tous les immeubles du début du siècle dernier, l'immense néon clignote de rouge, de jaune et de vert. Un lion gigantesque et rugissant frappe de manière syncopée la gueule affreuse d'un crocodile géant, tandis qu'un buffle gémit sous les anneaux étouffants d'un boa constrictor.

Bien sûr, il y a des combats de ce genre au *Jungle*, mais pas en semaine et pas en début de soirée. La bonne heure pour les combats spectaculaires, c'est plutôt 23 heures.

J'ai payé l'entrée et en ai profité pour me balader un peu dans le « Palais », l'autre nom du *Jungle*. C'est un endroit vraiment étrange. L'architecture déjà : un vieil immeuble des années 1880, avec une structure en poutres de bois et des pièces immenses à peine éclairées par de grandes fenêtres à petits carreaux de couleurs. Des parquets craquant sous les pieds et des escaliers majestueux pour rejoindre les étages supérieurs. Des canapés de bois couverts de coussins de soie et un bar en acajou de vingt mètres de long sous un lustre de bronze et de cristal mêlés représentant une pieuvre des hauts fonds.

La grande arène au rez-de-chaussée a été creusée dans l'ancienne salle de bal dont on a conservé le plafond peint par Hokusai. Les rangées de sièges de velours rouge placées en cercle et les dorures excessives des pilastres et des colonnes donnent au *Jungle* un air d'autrefois.

Aux étages, dans de petits salons, on peut assister à des combats qui attirent les vrais connaisseurs et dans quelques boudoirs on peut soi-même conduire à la mort une grande variété d'animaux. C'est là que j'ai retrouvé Paritoshan.

Il se tenait assis devant un aquarium à la surface duquel nageait désespérément une souris blanche. Au fond, dans la sarabande des algues visqueuses, trois gros poissons ovoïdes et gris suivaient la course du rongeur.

Paritoshan m'invita à admirer le spectacle en m'encourageant du doigt à ne pas troubler le silence.

L'un des poissons fonça à la surface et vint mordre la patte de la pauvre souris avant de replonger dans les profondeurs de son royaume. Un second s'élança à son tour, et attrapa la cuisse de la bestiole puis gesticula pour arracher une part de chair.

– Des dents comme de véritables rasoirs, ma chère.

Le troisième chargea à son tour et attira le rongeur quelques instants sous l'eau. Une caverne rouge était creusée dans la fourrure blanche de l'animal. Son sang s'effilochait dans l'eau grasse de l'aquarium, mais la souris ne perdait pas l'espoir d'une échappatoire. Nageant de toutes ses forces, elle cherchait un récif ou une rive... les trois poissons attaquèrent ensemble dans une frénésie de mouvements et la petite créature blanche fut littéralement déchiquetée sous nos yeux.

Paritoshan poussa un soupir.

– Les Romains, paraît-il, jetaient des esclaves dans des bassins de murènes creusés pour l'occasion. Une mort horrible, non ?

Je ne lui répondis pas car je ne voyais pas l'intérêt de ce genre de petits meurtres animaliers.

– Vous êtes choquée ?

– Non. Je trouve juste cela sans intérêt. La souris n'avait aucune chance.

– Vous avez raison... mais venez avec moi, je vais vous faire découvrir un combat autrement plus équilibré.

Nous sommes passés dans un autre boudoir où la chaleur était étouffante et moite. Devant nous, un vivarium. Dedans, une mante religieuse comme je n'en avais encore jamais vue.

— Cet animal nous vient de la jungle amazonienne. C'est la plus grosse mante religieuse qui existe au monde. Vous connaissez la réputation de cet insecte ?

— Elle dévore son époux.

— Non. Elle lui dévore le crâne pour qu'il parvienne à l'extase et à l'éjaculation. Une petite mort radicale. Hé, hé, hé, hé...

Son rire était huileux.

— J'ai découvert cette bête il y a peu et vous allez voir qu'elle est d'une férocité étonnante.

Il introduisit plusieurs pièces dans la fente prévue à cet effet et un surmulot fut introduit dans le vivarium.

La mante qui jusqu'alors nettoyait avec application ses larges pattes se figea tandis que le surmulot sautillait sans se rendre compte de rien. Du doigt, Paritoshan me désigna les pattes de l'insecte. En penchant mon visage vers la paroi de verre, je vis clairement le sang battre sous la carapace de l'animal. La pression de la chasse était si forte qu'elle en déformait en pulsations régulières l'exosquelette de l'insecte.

Puis d'un coup, elle se propulsa sur le cou du surmulot et un petit jet de sang gicla contre la cage. Quatre petites gouttes rouges. J'étais fascinée et complètement tétanisée. Jamais je n'aurais osé imaginer qu'un insecte, aussi gros soit-il, puisse s'en prendre à un animal au sang chaud.

– J'adore cet endroit. Je m'y ressource au spectacle de la vie. Si vous le voulez bien, je vous propose maintenant un petit pari. Suivez-moi.

Il m'entraîna dans un nouveau boudoir dont l'un des murs était entièrement recouvert d'une trentaine de petits aquariums de forme carrée. À l'intérieur de chacun d'eux se trouvait un poisson aux couleurs chatoyantes enveloppé de nageoires lourdes comme un drap humide. Des poissons combattants.

– Choisissez votre champion, Mademoiselle.

– Quel est l'objet du pari ?

– La vie de votre père.

Je l'ai regardé. Il n'avait pas l'air de plaisanter.

– Je vous ai payé, Paritoshan. Il n'y a rien à parier là-dessus.

Il fouilla sa poche et me remit mon enveloppe pleine du paiement que je lui avais laissé.

– Il n'y a plus d'argent, Mademoiselle. Juste une vie contre une vie. Votre poisson tue le mien et votre père vit. Mon poisson tue le vôtre et votre père aura au moins eu l'illusion de périr en combattant.

– Je refuse de jouer à ce jeu ignoble, Paritoshan.

– Vous n'avez pas le choix, Mademoiselle Vren. C'est moi qui fixe les règles. Ou vous jouez, ou nous partons. Le nous englobant ma personne et votre donneur.

Que pouvais-je faire à part céder ?

— Vous êtes un véritable salaud, Paritoshan.

— Ah, ah... Êtes-vous donc une blanche colombe, Mademoiselle, pour me juger ainsi ? Vous devriez commencer par camoufler le sang sur vos mains avant de vous ériger en sainte. Maintenant, faites votre choix.

Il glissa le montant exigé dans l'aquarium d'un combattant violet et rouge dont les nageoires dansaient comme un incendie.

J'ai parié la vie de mon père sur un simple et fin poisson noir et j'ai pressé le bouton rouge à gauche de l'aquarium.

Les deux poissons glissèrent le long d'un tube transparent avant de se retrouver l'un en face de l'autre dans un aquarium de petite taille. Je me tenais à la gauche de Paritoshan dont les yeux brillaient. Pendant quelques secondes, les combattants se sont observés sans bouger, puis le ballet mortel a commencé. Le feu et la nuit entortillés l'un dans l'autre. La lave sur le charbon, le bitume sur le sang. Dans le silence lourd et chaud du boudoir des combats, nous regardions deux êtres vivants jouer de leur vie celle de mon père. Paritoshan serrait les poings et les lèvres tandis que je priais silencieusement Mars de m'accorder la victoire. Sur notre trône d'humanité, nous assistions en jouisseurs au combat à mort de la vie rouge et noire.

Je ne pourrais pas dire combien de temps a duré la bataille : quelques minutes ou quelques heures ? Mais il y eut un instant où j'ai vu couler à pic une encre rouge et molle. Un poisson à peine plus gros que mon auriculaire, dont l'existence venait de se dissoudre comme un sel fin dans une eau pure pour sauver l'hypothétique vie de mon père. Une mort silencieuse sous mes yeux pour un soupir d'espoir.

Paritoshan a donné deux petits coups d'ongles sur la paroi de verre avant de rire doucement.

– Alors, sainte Vren ? Où en êtes-vous de votre pureté virginale ?

Transcript d'écoute 007/65
FYEO : Romitz OSPD / Bao-Belenguer S7

Appel : Non communiqué
Recevant : Crypté

18 h 17
**Appel :** Braban c'est moi.
**Recevant :** Qu'y a-t-il ?
**A :** Il faut s'occuper sans tarder de la gouine.
**R :** OK... quel est le délai ?
**A :** Ça devrait déjà être fait.
**R :** C'est sérieux à ce point-là ?
**A :** Ce con de Baodang a tellement traîné les pieds que le dossier n'a pas été transféré sur les serveurs du BNE à temps. La gouine a pu en télécharger une partie. J'aimerais savoir laquelle et ce qu'elle en comprendra... et si encore il ne s'agissait que de ça, cette invertie a fait une demande au Bivsop de Genève.
**R :** Le quoi ?
**A :** Un organisme de contrôle et de surveillance international auquel tous les organismes financiers de la planète sont obligés de transmettre leurs dossiers de fusions ou d'acquisitions.
**R :** Et alors ?
**A :** Alors, tu penses bien que nous n'avons ni les moyens ni l'envie de déposer le nouveau dossier au Bivsop. Si elle le récupère, cela fout l'opération en l'air. Cette fouille-merde est allée chercher juste là où il ne fallait

pas. Comment imaginer qu'une spécialiste des crimes en tout genre puisse connaître cet organisme ?

**R :** Tu n'as pas pu bloquer la demande ?

**A :** À ton avis crétin !

**R :** Compris. Je te rapporte le dossier.

**A :** Détruis-le.

**R :** OK, je te tiens informé.

18 h 20

## 23

NOUS SOMMES sortis du *Jungle Rumble* sans un mot et Paritoshan m'a conduite vers un utilitaire garé quelques dizaines de mètres plus loin. Un homme grand et fort se tenait debout devant la porte arrière.

D'un signe de la tête, Paritoshan lui ordonna de s'écarter.

— Vous vouliez faire connaissance avec votre donneur, Mademoiselle Vren.

— C'est exact.

— Alors montez là-dedans. Nous allons vous conduire à la clinique.

J'allais monter dans la camionnette quand il me retint par le bras.

— Au fait, nous n'avons pas parlé des frais de retour.

Le pourri. Je voyais bien où il voulait en venir, mais je décidai de ne pas céder.

— Je ne comprends pas de quoi vous parlez.

— Je vous ai trouvé un donneur compatible et je l'ai fait venir ici. Mais il faut prévoir son retour chez lui... C'est 100 000 *sterlins*.

— Allez vous faire foutre, Paritoshan. Je ne vous donnerai pas un fifrelin. Nous avons joué, et vous avez perdu.

Il a eu un petit sourire puis il a ri.

— Vous me plaisez, Vren. Vous avez des tripes.

Il a fait signe au grand type de m'ouvrir la porte.

— Bonne chance à votre père, Vren.

J'ai eu un instant d'hésitation. Comment pouvait-il accepter aussi facilement de perdre son argent ? Puis, je me suis dit qu'il avait sans doute l'âme d'un joueur. J'ai levé la main dans un geste de remerciement et suis entrée dans la camionnette.

Pendant quelques secondes, obscurité oblige, je n'ai pas pu discerner mon « donneur ». Puis mes yeux se sont habitués et j'ai découvert un petit Bengali d'à peu près quinze ans qui tremblait de faim, de froid, de peur, de fatigue et d'angoisse.

J'ai tout de suite su d'où il venait. Depuis vingt ans et la montée des eaux, les habitants du Bangladesh fuient leur pays en masse. Les statistiques officielles affirment que, pendant vingt ans encore, deux Bengalis sur trois seront amenés à quitter leur maigre terre recouverte par l'océan. On en voit partout et dans tous les pays du monde.

Des hordes de pégreleux sans le rond et sans aucun espoir de retour au pays. Des petits bonshommes et de minuscules bonnes femmes au teint ocre-rouge et cheveux noirs qui se vendent pour une bouchée de pain, pour une journée de plus gagnée sur la vie. Cela fait longtemps que le Parlement de Ouang Schock a voté une loi durcissant considérablement leurs conditions d'entrée dans la ville.

Le gamin me regardait avec angoisse sans oser ni parler ni bouger. Je me demandais s'il savait pourquoi il était là. J'espérais que la veste d'ombre pourrait emprisonner l'expression de ce gamin. Avec un tel regard, un tel désespoir, on allait faire un carton. Peut-être même que l'émotion causée aiderait à mettre un terme à ce trafic... mais là, ce n'était pas de mon ressort. Je devais simplement révéler le trafic et confondre les organisateurs.

J'ai tendu la main vers mon donneur qui s'est recroquevillé davantage dans l'obscurité du fond de la camionnette.

– Ne t'inquiète pas petit, je ne te veux pas de mal. Je voulais...

Les mots me sont restés dans la gorge. Qu'est-ce que je voulais au juste ? Que voulais-je lui dire à ce pauvre type prêt à vendre ses tripes pour vivre ? Que pouvais-je lui expliquer ? Que je souhaitais le rencontrer pour le remercier de venir de l'autre bout de la terre pour sauver mon père ? Que son rein et son poumon allaient continuer à vivre dans le corps d'un autre ? Que mon fric et la chance que j'avais eue de vivre ici plutôt que là-bas, me permettaient d'acheter son corps ? Que j'étais pire que le plus crado des clients qu'une pute n'ait jamais eu ?

Je me tenais devant lui, dans le ballotement de la route, et je n'arrivais plus à parler. Je me sentais inutile comme jamais encore de ma vie je ne m'étais sentie. Je le regardais et ne voyais en lui qu'une porte de sortie face à la mort de mon père.

Et puis mon métier m'est revenu à l'esprit. Ce gamin était un élément-clé de mon sujet et je devais l'utiliser comme tel. Après tout, je n'étais pas responsable de la montée des eaux ! Ce n'était pas ma faute la misère du monde ! Alors merde ! Pas de pot pour le gamin, mais la vie est dure pour tout le monde.

— Quel est ton nom, petit ?

— Ziaur Ershard, miss.

Il avait un accent à couper au couteau. En tout cas, totalement inutilisable pour un reportage télé... ou alors avec des sous-titres. Mais on sait ce que ça vaut les sous-titres à l'antenne. C'est du zap assuré. Faut pas forcer les gens à lire, ça les fatigue de trop.

Je l'ai quand même interrogé pour connaître son histoire, et je n'ai pas été déçue. Ce gamin était à lui seul une figure de style. Il venait de la région de Chittagong Hill Tracts, dans l'est du Bangladesh, d'une famille de petits cultivateurs. Ils avaient dû quitter leur ferme et leur région à la suite de la rupture du barrage de Kaptai et rejoindre Dhâkâ, la capitale.

Avec sa mère, son père et ses cinq sœurs, il était arrivé en même temps que des milliers d'autres paumés de la campagne qui espéraient trouver en ville un boulot pour ne pas crever de faim. Bien évidemment, il n'y avait pas plus de travail pour eux qu'il n'existe de beurre en broche et le père et le fils avaient dû émigrer en Inde pour travailler sur un chantier de démantèlement de bateaux.

Pendant trois mois, ils avaient consciencieusement envoyé la plus grosse partie de leur paye à leur mère restée avec les filles à Dhâkâ. Puis le père avait été écrasé par un camion et le fils renvoyé du chantier et expulsé du pays.

Lorsqu'il avait rejoint Dhâkâ deux mois plus tard, sa mère et ses sœurs avaient été obligées de se vendre à un bordel pour faire face à leurs dettes. Et lui, pour les racheter au propriétaire, n'avait rien trouvé de mieux que d'accepter de vendre ses organes...

C'était à la fois terrible et dramatiquement banal : rien qui pouvait me permettre de gagner un prix ou de faire péter l'audience. Mais au moins, ça me donnait de quoi rendre ce type un petit peu plus humain. Je pouvais lui donner un corps et une âme par un commentaire rapide sur son image terrorisée au fond de la camionnette.

Nous avons ralenti et sommes entrés dans un garage. Le moteur s'est éteint, la porte s'est ouverte. Deux infirmiers nous attendaient en compagnie du bon docteur Kantikano.

— Vous êtes en retard.

— C'est aimable, comme accueil. Vous savez mettre vos patients en conditions, toubib, y a pas à dire.

— Désolé, mais j'ai eu une journée un peu chargée.

— Nous en sommes tous là, docteur. Mais trêve de politesses : quand procédez-vous à l'opération ?

— Cette nuit. Le temps d'examiner le donneur... Mademoiselle Vren, je tenais à vous dire que l'état de santé de votre père m'inquiète un peu. Le choc postopératoire pourrait amener des complications.

— Je sais les risques qu'encourt mon père, docteur. Je ne vous demande pas de faire l'impossible. Simplement de l'opérer pour lui donner une petite chance.

Il n'a pas répondu, m'a simplement serré la main, puis il est parti avec les infirmiers et le petit. J'ai vu leurs silhouettes disparaître au fond du couloir et je suis montée voir mon père.

Il était toujours aussi maigre, le visage encore plus gris que la veille. Deux tuyaux lui sortaient du nez et plusieurs perfusions lui trouaient les veines des bras.

Je me suis assise à ses côtés et je lui ai caressé la main en lui parlant silencieusement. Je lui ai souhaité bon courage et je suis partie.

# 24

21 HEURES. La mauvaise heure pour se déplacer dans Ouang. Des embouteillages de folie furieuse : entre ceux qui quittent leur bureau, ceux qui sortent de chez eux pour le premier service et les touristes qui veulent voir s'allumer les lumières sur le Smith et ne pas rater le début des spectacles, la ville est comme paralysée. Le tube, s'il commence à être moins bondé, c'est une autre horreur : il pue la sueur, la pisse et le graillon d'une journée entière de voyageurs pressés et compressés. Mais si l'on veut bouger d'un coin à un autre de la ville, il vaut mieux se boucher le nez que de dépérir dans les bouchons.

J'ai pris la 12 et la 7C pour me rendre chez Miutu. J'étais en retard, comme d'habitude.

Elle habitait un vieux quartier, des constructions des années 90... avec des terrasses en bois et des bacs à plantes vertes en granit et verre. C'est un endroit petit où les immeubles ne dépassent pas 15 étages. Miutu a toujours habité là, petit à petit, elle a acheté une, puis deux, puis trois petites surfaces qu'elle a rassemblées en un appartement de 100 mètres carrés environ.

À mes débuts, lorsque j'avais été invitée chez elle pour la première fois, je m'étais dit que c'était l'exacte image de mes rêves : un bel appart avec des livres aux murs et des meubles profonds et chauds. Voilà ce que je voulais devenir : une journaliste avec un beau chez-soi. Aujourd'hui, je zone d'un Lockers à un autre. Et le pire, c'est que je suis convaincue que c'est exactement l'image de ma vie.

C'est marrant, mais j'ai beau avoir presque dix ans de métier, je ne me suis rendu compte de rien. Ou disons que mon cerveau n'a pas assemblé correctement les images qui se sont une à une affichées devant moi.

La rue barrée tout d'abord, les éclats rouges, bleus et jaunes des gyrophares, puis les uniformes verts un peu partout sur la chaussée et les flashlights des caméras digitales des confrères.

Plus je m'approchais du 107, plus l'accumulation d'images aurait dû me faire comprendre. Mais sans doute ne voulais-je pas comprendre. Pourtant, si mon esprit se refermait devant l'évidence, mon corps, lui, comprenait parfaitement ce qui se passait.

Quand j'ai vu ses larges épaules de dos, j'ai commencé à trembler. Quand il s'est retourné et qu'il m'a vue, une larme est tombée de mon œil.

Wayne s'est approché de moi et m'a serrée dans ses énormes bras.

– Ne me dis pas que c'est elle, Wayne. Dis-moi que c'est un voisin... Dis-moi, je t'en prie, que ce n'est pas elle.

Il m'a fourré la tête sur son torse pour que je ne parle plus et m'a doucement caressé les cheveux.

Mon corps tout entier semblait ne plus rien peser. Comme si mes membres étaient subitement devenus des sachets de coton hydrophile, comme si mon cerveau s'était dilué à l'instant dans mes veines et empêchait toute sensation.

– Pleure, ma belle. Pleure un bon coup... parce que nous n'avons pas le temps. Tu connais la règle comme moi. C'est dans les premières heures qu'on boucle une enquête. Après, c'est trop tard. Alors pleure, qu'on puisse te cuisiner ensuite.

– Je veux la voir, Wayne.

– Vaudrait mieux pas, Ashelle.

– Je veux la voir.

Il a hésité une seconde, et puis il a hoché la tête.

On est monté au quinzième étage par l'ascenseur aux parois d'acier brossé. Encore une fois, je me suis dit que le quartier était protégé parce que partout ailleurs elles auraient été barbotées, ces parois. Au prix de l'acier sur le marché noir, c'était une véritable provocation, cette cabine.

Sur le palier devant la porte d'entrée, il y avait le légiste et les gars de l'équipe de nuit de la criminelle. Leur premier meurtre de la soirée.

Je les connaissais tous... d'habitude, lorsqu'ils me voyaient arriver, ils m'envoyaient une vanne. Certains essayaient même de me passer la main aux fesses... en tout cas, j'avais droit à des sourires. Mais ce soir-là, pas un seul ne m'a accordé le moindre regard. Dès que je suis arrivée, ils ont baissé les yeux au sol comme s'ils refusaient de me voir pour ne pas donner de réalité à ce premier meurtre, comme si en me niant, ils me protégeaient. Je crois que c'est véritablement à ce moment-là que j'ai perdu tout espoir.

L'appartement était en ordre malgré le monde présent.

J'ai vu les flashs crépiter dans la chambre et je me suis avancée.

Wayne m'a attrapée par le bras.

– Une dernière fois, Ashelle, tu ne devrais pas.

– Je veux savoir comment elle est morte, tu comprends ?

– Non, je ne comprends pas. Mais ce n'est pas grave...

Il a libéré mon bras et je suis entrée dans la chambre.

Moïra était allongée sur le lit, nue, les bras et les jambes écartés et attachés aux montants du lit. Son visage était tourné vers la porte et ses longs cheveux noirs lui cachaient le regard. Une mare de sang s'était formée sous sa nuque et noircissait les oreillers et les draps blancs. Autour de ses reins et entre les jambes, une sangle de latex bleu : tendu sur son bassin, un énorme phallus de plastique.

Je cherchais Miutu du regard et ne la voyais pas. Mon cœur a fait un saut. Puis une des photographes s'est déplacée et je l'ai vue. Elle était nue, elle aussi, mais son corps n'était pas offert comme celui de son amour. Il était recroquevillé au pied du lit. Tout petit, tout fripé, tout usé.

Le chagrin m'est venu à ce moment-là. Lorsque j'ai compris à quel point la mort des autres pouvait être pathétique. À quel point la vie pouvait être laide lorsqu'on l'arrêtait brutalement.

Les larmes sont arrivées avec de grands sanglots violents. Je tremblais de partout et ne pouvais pas m'empêcher de baver. Je fondais doucement sous la violence de l'émotion.

Miutu était là devant moi, et pour la première fois de notre longue amitié, elle ne fumait pas.

Transcript d'écoute 159/107
FYEO : Romitz OSPD / Bao-Belenguer S7

Appel : 547 896 621 555
Recevant : Crypté

21 h 08
**Appel :** Monsieur Mentor ?
**Recevant :** Mmmm...
**A :** Alexandre Lautre à l'appareil.
**R :** Mmmmm...
**A :** Je tenais à m'assurer que vous aviez pu transmettre les documents comme convenu. Il est capital pour le bon déroulement de l'opération que...
**R :** Je n'aime pas les inspecteurs des travaux finis, Lautre. Je sais ce que je dois faire et je le fais. Votre problème a été effacé.
**A :** Je comprends bien, Monsieur Mentor, mais je voulais juste m'assurer que...
**R :** Au revoir.
21 h 09

Transcript d'écoute 159/108
FYEO : Romitz OSPD / Bao-Belenguer S7

Appel lié/appelant identique

Appel : 547 896 621 555
Recevant : Crypté

21 h 09
**Appel :** Monsieur, c'est moi.
**Recevant :** Oui ?
**A :** Je viens de joindre Mentor...
**R :** Qui vous a autorisé à l'appeler ?
**A :** Mais je...
**R :** Vous commencez à me faire chier, Alexandre. J'en ai plus qu'assez de vos initiatives stupides. Mentor ne relève que de moi ! Est-ce bien clair ? Je vous interdis à l'avenir de chercher à le joindre.
**A :** Excusez-moi Monsieur, mais vu les risques de l'opération je me suis dit qu'il valait mieux m'assurer par moi-même de sa réussite.
**R :** Au lieu de vérifier le travail des autres vous feriez bien de vous assurer de faire correctement le vôtre, Alexandre.
**A :** Les documents ont été intégralement déposés sur le serveur du Bureau National Économique, Monsieur. Liam Baodang a entièrement refait le plan de fusion acquisition des cliniques et l'Ataraman Karzaï n'apparaît plus...

**R :** Alexandre, taisez-vous ! Vos documents sont arrivés trop tard. La gouine avait déjà mis son nez dedans.
**A :** Vous voulez dire qu'elle...
**R :** Je n'en sais rien pour l'instant. Braban a tenté de faire disparaître les fichiers et nous sommes intervenus auprès d'OSTélécom pour faire disparaître tous les envois de la gouine. Nous n'avons plus qu'à croiser les doigts.
**A :** Merde.
**R :** À qui le dites-vous, Alexandre. D'autant plus que cette « merde », nous vous la devons. Si vous aviez secoué un peu plus ce connard de Baodang, nous n'en serions pas là. Je vous préviens, Alexandre, si l'affaire échoue à cause de vous...
**A :** Je vais essayer de voir ce que je peux faire.
**R :** Non, Alexandre. Vous n'essayez plus rien.
**A :** Mais...
**R :** Taisez-vous ! Vous prendrez contact demain avec le chien de chasse et vous ferez en sorte de savoir très exactement ce qu'elle sait et où elle en est. Rappelez-lui que son reportage doit être prêt dans les trois jours.
**A :** Bien, Monsieur.
**R :** Ne vous plantez pas ce coup-ci, Alexandre. C'est votre dernière chance.
**A :** Au revoir, Monsieur.
21 h 17

Transcript d'écoute 159/112
FYEO : Romitz OSPD / Bao-Belenguer S7

Appel lié/appelant identique/recevant identique/ période de temps

Appel : 547 896 621 555
Recevant : Crypté

21 h 18
**Appel :** Braban, c'est moi.
**Recevant :** Qu'y a-t-il ?
**A :** Rien de spécial. J'aimerais juste que tu me surveilles Alexandre. Ce jeune paltoquet commence à en prendre un peu trop à son aise à mon goût.
**R :** Je sais, il m'a appelé...
**A :** Il me l'a dit et je lui ai passé un savon. N'empêche que je partage son inquiétude. Si la gouine a récupéré les dossiers du BIVSOP avant ceux de la BNE et les a transmis à notre chien de chasse, toute l'opération tombe à l'eau.
**R :** Écoute, d'après moi, il n'en reste pas trace. Mais je peux essayer de monter un coup sur la fille si tu veux. Une petite opération pour s'assurer qu'elle n'a reçu que nos fichiers.
**A :** Mmmm... non, je ne crois pas. D'après mes sources, la gouine était très bien vue des forces de police et sa disparition fait l'objet d'une enquête très sérieuse. N'en rajoutons pas.
**R :** Ils ne trouveront rien.

**A :** Je te fais confiance là-dessus. Et notre petit protégé de Gia, où en est-on ?
**R :** Ce sera réglé demain.
**A :** Parfait.
**R :** Je ferai parvenir son testament à Miron…
**A :** Non, non. Attends avant de l'envoyer. Je te dirai demain s'il faut le faire en fonction de ce qu'elle m'aura raconté de son enquête.
**R :** C'est toi le boss.
**A :** Ne sois pas con… Et puis je continue à me demander si c'est une bonne idée. Nous le tenons déjà par les couilles, devons-nous en rajouter ?
**R :** D'après ce que tu m'as dit, il a un peu traîné avec le dossier. De cette manière, on va lui faire clairement comprendre qui dirige la manœuvre et à qui il doit obéir.
**A :** Tu as raison.
21 h 22

# 25

*« Channel Synchro 22 heures 30 : Débat de campagne, présenté par Geenna Mghba.*

**Geenna** : *Bonsoir. La campagne électorale bat son plein et l'on peut dire, à quinze jours des élections, que l'on assiste réellement à un retournement de situation. La CDI semble, d'après les derniers sondages, sur le point de remporter haut la main les élections. Comment expliquer cette inversion de tendance alors que le CGA dirige la cité depuis presque 60 ans sans jamais avoir vu son hégémonie contestée ? Avec nous ce soir, pour tenter de répondre à cette question, je reçois Walter Robinson de la rédaction du OS Herald et Ulrich Ballack de World News. Bonsoir, Messieurs.*

**Walter** : *Bonsoir.*

**Ulrich** : *Bonsoir, Geenna.*

**G** : *Comme je le disais en introduction, les sondages font apparaître pour la première fois depuis plusieurs décennies une large majorité d'intention de vote pour la CDI. Comment expliquer ce changement* *de la donne électorale alors que le contexte économique est favorable au régime en place ? Je rappelle pour mémoire que le chiffre d'affaires de Ouang Schock au premier trimestre affiche une hausse de 17,5 % à change constant (16,8 à change courant) et une hausse du résultat opérationnel de 9,8 %. La part du chiffre d'affaires réalisé sur les services atteint 56,4 % du total contre 53,3 % au 31 mars de l'année dernière. Comment, dans un contexte pareil, le gouvernement pourrait-il perdre la majorité au Parlement ?*

**W** *: On ne peut pas circonscrire la réussite d'une politique aux seuls résultats économiques, Geenna. La lecture du bilan financier de la majorité sortante est effectivement excellente. Le nier serait mentir. Cependant, si l'on élargit le spectre d'appréciation des résultats de la politique de gouvernement du GCA, il faut bien reconnaître que dans le domaine social en général et celui de la santé en particulier, les résultats sont nettement moins favorables à la majorité en place. Les incessantes réductions de budget de MedicHelp, la déréglementation de la politique de prix des médicaments et la volonté affichée de son leader Monsieur Quinte d'industrialiser la médecine ne peuvent qu'inquiéter une population déjà en grande difficulté face à l'accès aux soins.*

**U** *: Je souscris complètement à l'analyse de mon confrère, mais j'aimerais ajouter un élément : les électeurs ne se détournent pas uniquement du GCA pour marquer leur opposition aux options libérales de la majorité, peut-être également se tournent-ils vers* *la CDI car pour la première fois depuis 50 ans, elle propose une réelle alternative et un discours nouveau. Permettez-moi l'expression suivante : mais pendant longtemps, GCA et CDI, c'était bonnet blanc et blanc bonnet.*

**G** : *Ne peut-on pas dire également que la personnalité charismatique de leur leader, Assan Aly Akremy, est un élément de plus dans le choix des électeurs ?*

**U** : *Holà, il faut se méfier des cotes de popularité des hommes politiques. Nous savons mieux que personne qu'elles sont sujettes à des variations rapides et incompréhensibles.*

**W** : *Il est évident pourtant que le succès de l'offensive médiatique d'Aly Akremy est un élément à prendre en compte. Alors que pendant des années les médias ont toujours fait le jeu du GCA, on observe pour la première fois une scission dans leur camp.*

**G** : *Vous voulez parler de la liste dissidente des 27 ?*

**W** : Oui. *Les 27 sont la minorité qui fera basculer la victoire dans un camp ou dans l'autre.*

**U** : *La question que l'on est en droit de se poser maintenant concerne l'avenir des 27. Aujourd'hui, ils sont arbitres, demain, seront-ils décideurs ? Car on peut penser qu'ils monnayeront leur ralliement. Maintenant, on peut aussi voir dans leur position une simple manœuvre d'appareil destinée à redistribuer les cartes du pouvoir au sein du GCA.*

**G** : *Cela expliquerait leur déclaration concernant Baodang ?*

**U** : *Ah, ah. Baodang ! L'épine dans la chaussure d'Aly Akremy.*

**W** : *Je ne suis pas d'accord. Les sondages montrent que les électeurs ne condamnent pas Akremy des fautes de Baodang. Au contraire même. Et la gestion de cette crise par Akremy a été remarquable : sans jamais nier ses responsabilités, sans jamais charger Baodang, il s'est placé sous la coupe de la justice. Et le public a été sensible à cette preuve de respect de la chose judiciaire. En cela, la prise de position des 27 ne peut que servir la cause de la CDI.*

**G** : *Donc pour vous, la déclaration des 27 n'est qu'une manœuvre d'appareil ?*

**W** : *Je n'irais pas jusque-là. Je crois que les 27 ne sont pas qu'une association d'ambition, mais une réelle redéfinition du paysage politique.*

**U** : *Je souscris entièrement à cette analyse. Pour la première fois de l'histoire, la part du secteur vidéoludique dans le chiffre d'affaires de Ouang Schock a dépassé les 20 % avec une part plus importante encore dans l'EBIDTA. Comment, dans ces conditions, les 27 pourraient-ils continuer à vivre dans l'ombre des grands diffuseurs sans avoir droit à la parole ?*

**G** : *J'aimerais recentrer le débat, si vous le voulez bien, sur le renouveau de la GCI. Pensez-vous qu'elle ait véritablement une chance de remporter les élections ? Et pour quelles raisons ?*

**W** : *Je pense qu'Akremy, et vous noterez que je parle de lui plutôt que de son parti, est en mesure de remporter l'élection. Les habitants de Ouang Schock ont mal vécu les dernières restructurations imposées par le gouvernement en place. Si elles ont donné de bons résultats au niveau financier, ces évolutions ont dégradé le niveau de vie des habitants. Akremy, en faisant de l'accès aux soins le point central de son discours, donne un signal fort vis-à-vis des électeurs sur l'intérêt qu'il porte à l'aspect social des choses.*

**U** : *Il est évident qu'Akremy représente un espoir. Alors que le GCA cultive l'opacité et le secret sur son fonctionnement interne, même si Quinte est présent, mais plus comme un porte-parole que comme un véritable leader, Akremy joue la carte de l'homme face au système.*

**G** : *Quelle est alors la marge de manœuvre du GCA face à cette menace ?*

**U** : *Elle est mince, Geenna. Le GCA ne peut que s'appuyer sur un bilan comptable et quoi qu'il dise, restera toujours comme le parti qui considère les électeurs avant tout comme des cibles publicitaires plutôt que comme des citoyens.*

**W** : *Je ne suis pas entièrement d'accord. Les ressources du GCA sont immenses tant en terme de campagne que de résultats. Comment Akremy pourrait-il rivaliser avec la puissance médiatique du GCA ? Et comment Akremy peut-il lutter face à 50 ans de succès sur sa seule figure ?*

**G** : *Je vous remercie, Messieurs.* »

Je me suis retrouvée dans un bar pas loin de chez Miutu avec le commissaire Cassidy. Il m'avait d'autorité commandé un alcool fort. Comme si l'alcool pouvait quelque chose à mon chagrin. Mais il paraît que c'est ainsi que l'on doit faire dans ces cas-là... se saouler pour oublier.

Wayne était un peu ringard dans son soutien. Le coup de la tête contre la poitrine, l'alcool fort et le silence, cela sentait la compassion de cinéma. Et pourtant, je ne trouvais pas cela désagréable même si au tréfonds de moi une petite voix réclamait des paroles et des gestes. Trop de choses se bousculaient dans ma tête : la mort de Miutu et de Moïra, l'opération de mon père, la terreur du gamin dans la camionnette, mon reportage qui avançait dans les ténèbres et qui ne me menait à rien.

J'étais un peu perdue, je crois.

— Ashelle, j'ai besoin de savoir certaines choses. Est-ce que Miutu travaillait avec toi sur ton enquête ?

— Pourquoi me demandes-tu ça ?

— Parce que je mène une enquête, Ashelle. Parce que je dois reconstituer le présent de Miutu pour me faire une idée des raisons de son assassinat.

— Et tu penses vraiment que sa mort peut avoir un rapport avec mon enquête ?

— Je ne sais pas, Ashelle. À première vue, non... Au regard de la scène de crime, on pense forcément à un mobile sexuel : la vengeance d'un ou d'une ancienne partenaire, ou bien un acte commis par un fondamentaliste quelconque choqué de ses orientations. Enfin, pour l'instant, je ne veux fermer aucune piste. D'autant plus que...

— Que quoi ?

— C'est juste une impression, Ashelle, rien de plus. Mais je ne vois pas Miutu s'envoyer en l'air avec un godemichet en plastique bleu. Je ne sais pas pourquoi, mais ça ne cadre pas avec ce que je connaissais d'elle. Pardonne-moi cette image, mais si elle voulait une bite, elle pouvait utiliser un homme... ce qu'elle faisait d'ailleurs à l'occasion.

— Tu as peut-être raison, Wayne...

— Alors dans l'hypothèse, et je dis bien hypothèse, où sa mort n'aurait rien à voir avec le sexe : peux-tu me dire ce qu'elle savait de ton affaire ?

— Je travaille avec un matériel un peu particulier qu'on appelle veste d'ombre. C'est une veste composée d'un certain nombre de fibres optiques. Elle filme sous différents angles sans que personne ne puisse s'en rendre compte. Miutu m'avait aidée à la sortir de la réserve et derushait toutes les images que je ramenais.

— Elle était donc au courant de ton enquête ?

— Oui.

— À part derusher, est-ce qu'elle enquêtait, elle aussi ?

— Non, je ne crois pas... Mais maintenant que tu me poses la question, je me souviens qu'elle m'a dit un truc bizarre au téléphone. La clinique sur laquelle nous enquêtions était en train de changer de main.

— Qu'est-ce que ça veut dire ?

— Je ne sais pas. Mais visiblement, elle trouvait cela intrigant et voulait m'en parler.

— C'est tout ?

— Non. Je cherche à en savoir un peu plus sur Paritoshan et Raman Kashguy.

— Kashguy ? Que vient-il faire là-dedans ?

— Tu le connais ?

— Dans le genre, on pourrait dire que c'est un people du monde du crime. Il est partout à la fois. Dès que quelque chose pue, tu peux être certain d'y trouver ce type. Mais méfie-toi, c'est un vrai dangereux.

— Tu sais pour qui il travaille ?

— Difficile à dire. Mais son nom est apparu dans l'affaire Baodang.

— Le gars de la CDI ?

— Lui-même. Je ne sais pas exactement ce qu'il fricote avec eux, mais il émarge chez eux.

— Fat m'a parlé de lui. Kashguy lui aurait demandé de lui trouver des filles pour des prestations particulières... des prestations mortelles. Il l'a mis ensuite en relation avec la clinique du docteur Kantikano pour se débarrasser des corps...

– Ça ne veut pas dire pour autant que Baodang ou la CDI soient impliqués.

– Je n'ai pas dit ça. N'empêche qu'il faut que j'aille voir de ce côté-là. Et pour Paritoshan, tu sais quelque chose ?

– C'est un petit trafiquant sans grande importance. Il vend de tout à tout le monde du moment qu'on le paye. À titre d'information, son nom apparaît aussi dans l'affaire Baodang.

# 26

J'AI PASSÉ un coup de téléphone à la clinique de Kantikano pour prendre des nouvelles de mon père. On m'a répondu qu'il n'était toujours pas sorti du bloc opératoire. Ça m'a un peu étonnée, au vu de l'heure tardive... ou très matinale, c'est selon...

J'en ai donc profité pour aller me reposer dans un Lockers près de Mekong Ride Road. Par habitude, j'ai connecté mon e-Me au central de commande et me suis plongée sous la douche. J'avais quatre heures devant moi et j'étais bien décidée à me laver, à dormir et à ne plus penser à rien.

Par habitude, en sortant de la douche, j'ai jeté un œil sur l'écran de contrôle pour voir si j'avais des messages. Il y en avait 2.

Le premier était de Miutu :

miutu.muy@tele7.co.os
Dossier finance clinique
mer.12/10/2057 20 h 14
Pièce jointe : 127ko

*Ashelle tu trouveras ci-joint le dossier classifié que j'ai récupéré auprès du Bureau National Économique de Ouang Schock grâce à un contact qui m'était redevable.*

*Je t'en conseille la lecture qui est extrêmement instructive.*

*Tu noteras à la page 107 le nom du propriétaire de la clinique. L'Indeed Company est la holding financière qui sert aux opérations de fusion acquisition du groupe Amina Funds Foods présidé par Assan Aly Akremy et dont Liam Baodang est le directeur financier.*

*Reparlons-en demain, mais j'ai le sentiment que nous avons là une piste sérieuse.*

*Miutu.*

Le deuxième était de mon fournisseur d'accès :

mustapha.kemal@ostelecom.co.os
Rapport d'incident
mer.12/10/2057 20 h 32

OSTélécom.net
RAPPORT D'INCIDENT

*Un incident est survenu aujourd'hui (12/10/57) à partir de 20 h 07 sur le serveur IIS/ ExtremFusion.*

*Sans raison apparente, le service ExtremFusion prenait 100 % du CPU refusant ainsi de nouvelles requêtes sur le serveur de messagerie.*

*Il nous était aussi très difficile de faire des manipulations sur le serveur étant donné son extrême lenteur.*

*Nous avons arrêté les différents serveurs les uns après les autres pour permettre d'isoler le problème, sans succès.*

*Même avec l'arrêt complet de IIS, le service ExtremFusion était à 100 % CPU.*

*Nous avons analysé l'ensemble des logs disponibles au niveau du serveur, IIS et ExtremFusion.*

*Aucune erreur ne nous a permis de nous mettre sur la voie d'une quelconque résolution.*

*Nous avons alors migré la partie ExtremFusion sur un autre serveur.*

*Cette partie a été délicate à mettre en œuvre car nous avons recréé l'ensemble des chaînes de connexion aux serveurs de BDD ainsi que la reconfiguration réseau pour l'utilisation du LDAP de votre fournisseur.*

*Nous nous sommes focalisés sur le redémarrage des sites qui ont été à nouveau disponibles à 20 h 30.*

*Les messages envoyés ou reçus durant cette période sont en cours de restauration.*

*Nous sommes à votre disposition pour répondre à toute question complémentaire.*

*Cordialement*

Je me suis couchée sans lire attentivement les deux messages. J'ai fermé les yeux et un souvenir de Miutu m'est revenu en mémoire : nous étions au bureau et je râlais contre mon fournisseur d'accès qui m'avait torpillé plusieurs messages sans me prévenir. Elle m'avait alors conseillé de m'abonner à OSTélécom et je l'avais traité de vieux jeu. OSTélécom, c'est la boîte antédiluvienne qui ne fait même plus de pub tellement elle est poussiéreuse. N'empêche, et nous étions de plus en plus nombreux à le découvrir, elle était d'un sérieux et d'une rigueur qui la plaçaient bien au-dessus de tous les autres fournisseurs qui se servaient de nos abonnements pour nous abreuver de pub.

Pourquoi ce souvenir me revenait ?

Miutu avait le même fournisseur d'accès que moi.

Je me suis relevée et j'ai consulté mes messages.

Comment Miutu pouvait-elle m'avoir envoyé un message à 20 h 14 si OSTélécom avait eu une rupture de service entre 20 h 07 et 20 h 30 ?

Comment Miutu avait-elle pu m'envoyer un message de son bureau de Télé7 comme l'indiquait l'adresse d'envoi alors qu'elle était chez elle ?

J'ai immédiatement appelé Cassidy.

Transcript d'écoute 219/07
FYEO : Romitz OSPD / Bao-Belenguer S7

Appel : 157 845 777 652
Recevant : ... ... ... 547

4 h 32
**Appel :** Wayne c'est moi, Ashelle.
**Recevant :** T'as vu l'heure ?
**A :** C'est important Wayne. J'ai reçu un courriel de Miutu envoyé à 20 h 14, mais j'ai de bonnes raisons de croire qu'elle n'a pas pu me l'envoyer : à cette heure-là, elle devait être chez elle car elle voulait préparer une surprise pour Moïra...
**R :** Elle est peut-être repassée au bureau.
**A :** Je viens de te dire qu'elle préparait une surprise pour Moïra. Tu retournerais au bureau pour envoyer un courriel à un copain si tu étais en train de préparer le diner d'anniversaire de ta femme ?
**R :** Heu... non, sans doute pas.
**A :** Ah ! Tu vois !
**R :** Elle a peut-être appelé Moïra pour qu'elle l'envoie à sa place.
**A :** ... effectivement, c'est possible. Mais je croyais...
**R :** C'est normal, Ashelle. Tant qu'on n'aura pas attrapé le pourri qui les a tuées, on se posera des questions. Des questions qui empêchent de dormir.
**A :** OK, je suis désolée.
**R :** C'est bon, Ashelle. Tu peux m'appeler quand tu veux. Tu sais, pour nous, Miutu n'était pas juste une journa-

liste. C'était presque une amie. Et je peux t'assurer que nous aussi, on a du mal à dormir.

**A :** Merci.

4 h 38

# 27

Je me suis vite convaincue que je pouvais tirer un trait sur le sommeil. Et en attendant de me rendre à la clinique pour voir mon père, je me suis plongée dans le fichier que m'avait envoyé Miutu.

C'était une étude du SNEDS sur la nouvelle concentration financière dans le domaine de la santé. En gros, le document montrait que, depuis trois ou quatre ans, d'importants mouvements avaient eu lieu dans ce domaine et qu'aujourd'hui on assistait à l'émergence de grands groupes d'un genre nouveau.

Jusqu'alors, les concentrations avaient eu lieu dans le domaine des laboratoires pharmaceutiques et les chaînes de distribution avec la partition du marché de la vente au détail entre deux acteurs : Bayer d'un côté et Indeed Company de l'autre.

La récente dérégulation totale du marché de la médecine hospitalière avait ouvert le bal d'une nouvelle passe d'armes boursière et financière entre les deux acteurs précités ainsi que de nombreux autres groupes internationaux.

En quatre années, l'Indeed Company, dont le siège social se situait à Samarkand, avait fait main basse sur plus de 40 % des cliniques de Ouang Schock et créé une nouvelle structure pour chapeauter ce nouvel empire : la Health Trust Fundation.

Gen Technologies, seul concurrent de taille, ne possédait que 18 % des cliniques.

L'intérêt de l'opération résidait essentiellement dans la réduction des coûts des tests cliniques des médicaments avant leur mise sur le marché.

Quoi de mieux en effet pour tester de nouvelles pharmacopées ou de nouveaux protocoles qu'une ou plusieurs cliniques ?

Ce que je comprenais en lisant le document, c'était qu'une formidable bagarre avait eu lieu entre plusieurs groupes financiers d'envergure mondiale autour des cliniques et hôpitaux de Ouang Schock, et que la Indeed Company avait remporté le morceau. Ce que je comprenais aussi, c'est que les grands vainqueurs n'étaient autres qu'Aly Assan Akremy, président non exécutif de la Indeed Company, administrateur de la Health Trust Fundation et P.D.G. de l'Amina Funds Foods et candidat officiel à la magistrature suprême pour le compte de la CDI et Liam Baodang, le directeur financier de la Indeed Company.

Maintenant, ce que je comprenais moins bien, c'était le lien entre Akremy, Baodang et le trafic d'organes. Je le comprenais d'autant moins que l'étude montrait que la Indeed possédait 33 % du capital de l'université Barnard, qui était spécialisée dans la recherche sur les nanotechnologies cardiaques.

J'en étais là de mes réflexions lorsque mon e-Me a sonné. C'était Alexandre Lautre. Il voulait me voir rapidement. Je lui ai donné rendez-vous devant la clinique de Kantikano.

« *Goopeal news sept heures avec Rachel Twinnings. L'actualité de la nuit en 7 minutes. Miutu Muy, chef des informations de la division crime de Télé7, a été assassinée cette nuit à son domicile avec sa compagne Moïra Gumchara. D'après les premiers éléments de l'enquête, les deux femmes auraient été victimes d'un pervers sexuel. Nous nous sommes procuré les images de la scène de crime que vous pourrez découvrir sur le Channelpay de Télé7 pour 5,99 stl / Nouvelle nuit d'émeutes à la prison de Bangu à Rio que les forces de l'ordre ont dû évacuer en laissant derrière elles plus de 7 morts / Le Premier ministre britannique a confirmé l'envoi de 6 000 hommes dans le Nord Syrien après la reprise des combats / Arrivée ce matin dans le port de Laem Chabang des six sous-marins lanceurs d'engins russes en vue de leur démantèlement / Au quatrième jour de la conférence sur la bioéthique, les représentants des universités ont appelé les membres des congrégations religieuses à ne pas mettre un frein à la recherche sur le clonage thérapeutique au vu de textes vieux de plusieurs millénaires / Attaque à main armée dans une clinique du quartier Wafa Sultan : le stock de 2 500 litres de sang de groupe O– a été entièrement dérobé / Dernier sondage TWA qui donne la CDI en tête des intentions de vote avec 53,7 %. Jonah Quinte, le représentant du GCA pour les élections a déclaré : « Les sondages donnaient Five Q vainqueur par KO et il a fini au cimetière » / C'était Goopeal News sept heures »*

Lautre m'attendait dans sa grosse limousine. Il était toujours aussi bien gominé, sentait toujours aussi bon, toujours autant tiré à quatre épingles et pourtant il ne donnait plus du tout l'image d'un homme de grande assurance. Il y avait comme une fêlure dans sa belle façade.

Il m'a serré la main avec mollesse.

– Alors, Mademoiselle Vren. Où en êtes-vous de votre enquête ?

– Une de mes amies est morte cette nuit. Assassinée.

– Oh... désolé. Je vous présente toutes mes condoléances. Sa mort est donc liée à votre enquête ?

– Non... pourquoi me dites-vous ça ?

– Je... heu... c'est vous qui m'annoncez la mort de Mademoiselle Muy en réponse à ma question sur votre enquête. Alors j'ai cru que... enfin...

– OK, OK, désolée, Monsieur Lautre. Je suis un peu à cran.

– Je comprends.

– Pour mon enquête, je n'en suis nulle part. J'ai des images qui montrent qu'il existe bien un trafic d'organes dans la ville et qu'il doit être très étendu car il ne m'a pas fallu plus de deux jours pour trouver un donneur, une clinique et un chirurgien.

– Vous avez les images ?

– Je viens de vous le dire. Maintenant, je ne sais pas encore qui se cache derrière tout ça. Est-ce une organisation, un homme ou alors une multitude de petits malfrats qui vivent sur la bête, je ne sais pas.

– Monsieur Quinte semble penser qu'il y a un homme derrière cela.

– Je sais. Il me l'a dit... votre ami Valencia aussi le pense. Et Miutu m'a envoyé avant d'être tuée un document du SNEDS qui, si on le lit avec un certain angle, pourrait laisser penser la même chose. Maintenant, c'est encore assez vague et je n'ai pas en main de quoi étayer ces interrogations.

– Puis-je voir le document ?

Je le lui tendis et il se plongea dedans.

– Je ne connaissais pas cette étude...

Il souligna du doigt la mention « classifiée ».

– Je me disais aussi...

Il survolait les pages, s'arrêtant parfois sur un tableau, une colonne de chiffres. Il hochait la tête en découvrant certains graphiques et lâcha une ou deux fois : « Le beau salaud... il a bien combiné son affaire ».

Quand il eut fini, je l'interrogeais du regard.

– C'est un document intéressant. C'est une fois de plus la preuve que trop d'informations tuent l'information.

– Que voulez-vous dire ?

– Voyez-vous, Mademoiselle Vren, cette étude n'est pas secrète. Il suffit d'avoir ses entrées sur le site de la BNE pour se la procurer. Et pourtant, je ne la connaissais pas alors que j'en ai quinze autres sur mon bureau qui sont toutes incomplètes. Ça donne envie de rire.

– Que voulez-vous dire par : « Il a bien combiné son affaire » ?

– Ah, ah... Ce n'est rien. Juste que j'ai sous les yeux par écrit ce que je subodore depuis des mois.

– C'est-à-dire ?

– Vous jouez en bourse, Mademoiselle Vren ?

– Non. Je n'y comprends rien et de toute façon, je n'en ai pas les moyens.

— C'est pourtant simple. Vous investissez votre capital dans des valeurs sur lesquelles vous avez des informations qui vous font penser qu'elles vont augmenter dans un avenir plus ou moins proche. Par exemple, vous vous dites comme moi que le domaine de la santé, vu les nouvelles réglementations, les nouvelles techniques, les nouveaux envies et désirs de la population, devrait connaître un très fort bouleversement dans les années à venir. Alors, vous vous renseignez pour trouver quelles sont les sociétés qui semblent les mieux placées pour emporter le marché et devenir les cashmaker de demain.

— Et vous découvrez quoi ?

— Deux choses : premièrement que la santé coûte cher. Très cher ! Les investissements à réaliser pour atteindre une taille critique sur ce marché sont énormes. Deuxièmement, que le marché aujourd'hui se divise en deux : les nanotechnologies et le clonage thérapeutique, et que personne ne peut prédire laquelle des deux solutions va prendre le lead. On est d'ailleurs submergé de débats, conférences, émissions, thèses, études, projets, commissions, etc., etc., sur les avantages et dangers comparés des deux techniques. Les défenseurs de l'une tirant à boulets rouges sur les défenseurs de l'autre.

— Elles ne peuvent pas coexister ?

— Difficilement. Comme je vous le disais, les investissements financiers sont tels que celui qui emportera le morceau ne laissera pas une technologie concurrente détourner une part de ses profits. Je parle d'investissements de l'ordre de plusieurs dizaines de milliards de *sterlins*...

— Et des profits par centaines...

— Vous avez bien compris. Et vous comprendrez également que devant des profits pareils, il ne faut pas sortir du bois trop tôt au risque de se faire détruire par la concurrence. Ce que je veux dire par là c'est que les groupes financiers ou industriels qui ont fait le choix de ce développement doivent, avant de se faire connaître, avoir déjà pris une place dominante... ou pour le moins suffisamment solide pour ne pas risquer d'être éliminés... sur le marché. Ces groupes vont donc manœuvrer secrètement pour acheter différentes sociétés et les consolider dans une structure de grande taille. Un jour, nous verrons donc apparaître un nom, connu ou nouveau, qui pourra dire : je suis la médecine d'aujourd'hui et de demain.

— Et ce nom pourrait être : Indeed Company.

— Vous me posez une question à laquelle vous avez déjà la réponse, Mademoiselle Vren.

— Et c'est quoi exactement Indeed Company ?

— C'est une holding... enfin, ça l'est devenu, du moins c'est ce que je comprends de ce document. Avant, visiblement, c'était une fiduciaire.

— C'est-à-dire ?

– Une fiduciaire en très gros, c'est une personne morale ou physique qui va, pour le compte d'un tiers, prendre possession et gérer une entreprise.

– Une sorte d'homme de paille quoi ?

– Pas tout à fait, plutôt un paravent. Ce que je découvre dans votre document, c'est que la fiduciaire Indeed Company, œuvre depuis le début pour le compte de l'Amina Funds Foods. Pire même, que la fiduciaire Indeed est une filiale d'AFF. Que la fiduciaire a, sous couvert d'entreprises fantômes, fait main basse sur 40 % du marché des cliniques pendant que, en plein jour cette fois, l'AFF concentrait uniquement ses investissements dans les aliments de synthèse. Donc, aux yeux de tous, l'AFF n'était pas un acteur du marché médical et n'était donc pas surveillé.

– Et donc...

– Et donc je suis baisé. Baisé jusqu'à la moelle, car j'ai tout investi dans Gen Technologies qui ne sera jamais le numéro 1 du marché.

Il avait l'air vraiment marqué par sa déveine. Mais je m'en foutais comme de l'an quarante.

– Et Akremy là-dedans ?

– C'est lui le gagnant.

– Ça, j'avais compris, merci. Mais pourquoi un type qui est leader dans la bouffe de synthèse et qui achète 33 % d'une université spécialisée dans les nanotechnologies tremperait-il dans un trafic d'organes ? Ce n'est pas logique.

— La logique dans les affaires...

De la main, il fit un geste qui signifiait l'éloignement.

J'ajoutais alors :

— Il n'est peut-être pas au courant de ce qui se trame dans les cliniques ?

— Vous investiriez des centaines de millions de *sterlins* dans une boîte sans vous renseigner avant ?

— Non.

— Lui non plus, je vous rassure. Akremy, c'est un tueur... dans le monde des affaires, j'entends. Il est forcément au courant. Et puis en termes de synergie, ce n'est pas un idiot. Les tests cliniques coûtent cher. On ne met pas sur le marché un nouvel aliment ou une nouvelle puce sans l'avoir testé sur des cobayes humains.

— Vous pensez donc qu'il utilise des individus, par exemple des clandestins, pour mener à bien ses expériences.

— C'est une éventualité que je ne repousserais pas si j'étais vous.

Comme nous commencions à entrer dans le domaine des supputations, j'ai préféré mettre un terme à notre conversation. Il était temps que j'aille voir mon père.

Transcript d'écoute 219/07
FYEO : Romitz OSPD / Bao-Belenguer S7

Appel : 547 896 621 555
Recevant : Crypté

7 h 35
**Appel :** Monsieur, c'est Alexandre.
**Recevant :** Alors ?
**A :** Elle a bien reçu la bonne version du document.
**R :** Et qu'en pense-t-elle ?
**A :** Pas grand-chose, car ce n'est pas une économiste. Mais je me suis fait un plaisir de lui expliquer les choses. Il ne lui reste plus qu'à comprendre pourquoi X est mêlé à cette affaire.
**R :** Va-t-elle le comprendre assez vite, Alexandre ? C'est toute la question.
**A :** Je vais demander à Valencia de lui expliquer.
**R :** Appelez également notre ami pédophile pour lui faire répéter son discours. Si cette fille est aussi bonne que vous le dites, elle devrait entrer en contact avec lui. Non ?
**A :** Je vais faire ça, Monsieur.
**R :** C'est bien. N'empêche, je commence à trouver que le fil sur lequel nous avançons est de plus en plus mince, Alexandre. J'espère pour vous qu'il ne se brisera pas avant la fin de l'opération.
**A :** Non Monsieur… de toute façon, il est trop tard pour faire demi-tour.

**R :** Je le sais, mon petit, et c'est bien ça qui m'inquiète.
**A :** Nous ne risquons de toute façon pas grand-chose, Monsieur.
**R :** Ah tiens ! C'est nouveau ça ! On ne risque rien.
**A :** Personne ne pourra jamais remonter jusqu'à nous.
**R :** Je le sais bien, Alexandre. Et ce n'est pas ça qui m'inquiète. Les sondages par contre, c'est autre chose...
**A :** Le reportage sera prêt, Monsieur.
**R :** Je l'espère, Alexandre. Je l'espère vraiment. Pour moi... et pour vous.
7 h 40

# 28

Mon père dormait. Ou peut-être, plus vraisemblablement, était-il plongé dans un coma artificiel. Je voyais son profil perturbé par des tuyaux de plastique dans la lumière de la fenêtre. Il était allongé sous un drap blanc replié sur sa poitrine, laissant apparaître ses bras maigres allongés sur les côtés. Ses mains blanches et décharnées semblaient démesurément longues. Sa poitrine se soulevait régulièrement sous l'impulsion d'un respirateur qui lui insufflait de l'oxygène.

J'aurais aimé pouvoir lui prendre la main, lui caresser le front, lui adresser quelques mots, mais Kantikano entouré de deux infirmières m'avait expliqué que pendant quelques jours, il n'était pas possible de pénétrer la chambre stérile pour éviter tout risque d'infection.

— L'opération s'est bien déroulée et d'après les premiers examens, il n'y a pas de phénomène de rejets. Néanmoins, si médicalement on peut parler de réussite, son âge et son état de santé avant l'opération nous obligent à beaucoup de réserve. Pour être tout à fait franc, votre père est dans un état préoccupant, Mademoiselle Vren. Je ne vous cache pas que son pronostic vital est réservé.

— Quelles sont ses chances ? 20 % ? 30 % ?

— La vie et la mort ne sont pas des statistiques, Mademoiselle. Votre père peut vivre ou bien mourir et personne ne s'aventurerait à dire pourquoi la balance s'inclinera d'un côté ou de l'autre. Cela ne dépend ni de nous, ni de vous, ni même de lui. C'est entre les mains de...

Kantikano agita les mains et les doigts à hauteur de son visage dans un mouvement léger.

— Avant une semaine, nous ne pourrons de toute façon rien dire. Il faut laisser à la nature le temps de décider.

Une autre que moi aurait peut-être parlé. Posé des questions. Exigé des réponses et des certitudes. Moi, j'ai juste écouté le bon docteur me dire qu'il ne savait rien, ne maîtrisait rien, ne pouvait rien et j'ai trouvé cela très bien.

À droite de la chambre de mon père, une autre fenêtre de verre securit donnait sur un autre lit avec un autre corps allongé.

— Et celui-là, docteur ? Faut-il aussi attendre que la nature ait pris son temps pour savoir s'il va vivre ?

— Non. Il est plus jeune, en meilleure santé, et surtout il a été transplanté bien avant la destruction totale de ses organes. Il vivra. Et il vivra sans doute longtemps...

— C'est injuste.

Kantikano ne me répondait rien et s'éloigna pour rejoindre son bureau. Avant qu'il ne disparaisse, je lui demandais :

— Et le gamin ?

— Le gamin ?

— Le donneur. Le petit Ziaur Ershard. Je peux le voir ?

Kantikano a eu un petit geste étrange. Une contraction de la bouche.

— Vous voulez le voir ? Mais pourquoi ?

— Ça me paraît naturel. C'est grâce à lui que mon père va peut-être vivre.

Il m'a regardée avec un sale air, puis a haussé les épaules.

— Il n'est plus là.

— Comment ça, plus là ?

— Il est reparti. Vous savez, nous ne gardons jamais ces gens-là très longtemps. Question de sécurité.

— Vous lui avez retiré cette nuit un poumon et un rein et il est parti ce matin. Tout seul. Avec son petit balluchon et son enveloppe avec le pognon. Vous croyez que je vais croire ça ?

Kantikano a haussé le ton.

— Que vous me croyiez ou non m'importe peu, Mademoiselle. Je vous dis qu'il est parti et qu'il n'est plus ici. Et si ça ne vous plaît pas, je n'y peux rien. Au revoir, Mademoiselle.

Il m'a tourné le dos et a remonté le couloir à grandes enjambées.

J'avais un mauvais goût dans la bouche et une boule vibrionnait dans l'estomac.

Je n'ai pas cherché à rattraper le bon docteur. J'ai fait comme si sa réponse me suffisait, comme si je ne tenais pas vraiment à en savoir plus. Dès qu'il a franchi la porte du bout du couloir, je me suis dirigée vers l'ascenseur et je suis descendue au deuxième sous-sol. Je ne savais pas exactement où chercher, mais j'étais sûre et certaine que cela devait se trouver dans les caves.

La porte d'acier de l'ascenseur s'est ouverte sur une pièce carrée aux murs verts et au sol en linoléum gris. Deux néons jaunes achevaient l'atmosphère de leur lumière pisseuse et triste. Juste en face de moi se tenait un infirmier assis derrière un bureau de métal. Il avait le visage collé à l'écran d'une console de jeu et m'a à peine jeté un coup d'œil. Visiblement, je le gênais en pleine bataille avec le boss de fin de niveau. Pendant une ou deux secondes, il a hésité : lâcher sa console ou poursuivre. D'un geste de la main, je lui ai fait comprendre qu'il pouvait continuer.

– Je dois récupérer quelque chose sur le corps de Ziaur Ershard. Le patient opéré hier.

J'ai lancé cela au flanc avec un air fatigué et blasé. Comme si j'étais en train d'obéir à un ordre qui me fatiguait et que je trouvais idiot.

Du menton, il me désigna la porte derrière lui.

– Box 17.

Je l'ai remercié d'un signe et me suis avancée. Au moment où j'allais franchir la porte, il s'est retourné en levant le doigt. J'ai eu une seconde d'angoisse.

– Vous n'oublierez pas de signer le registre.

– Ah... oui, oui.

– Il est dans la salle, je... j'ai oublié de le rapporter.

– Sans problème.

Il s'est replongé dans son jeu. Je me suis demandé ce que ce type foutait dans une clinique. Il serait bien mieux dans une boîte de farming de persos. Mais je n'allais pas me plaindre. Grâce à son vice, j'avais pu pénétrer la morgue sans coup férir.

J'ai remonté un couloir qui donnait à droite et à gauche sur des portes aveugles portant deux numéros : 1-5, 6-10... La dernière à gauche affichait 16-20. J'ai supposé que c'était là que se trouvait le box 17.

J'ai poussé la porte et je suis entrée. Il faisait aussi froid que dans la partie haute d'un frigo américain. Face à moi sur le mur, il y avait quatre portes carrées de peut-être un mètre de côtés. Des portes d'acier bombées que l'on ouvrait avec une grosse et longue poignée que l'on tirait vers soi. J'ai cherché la 17 et je l'ai ouverte. Une niche profonde avec une plaque de métal montée sur de petites roues et, posé dessus, un corps recouvert d'un drap blanc. J'ai tiré à moi la plaque et le corps et j'ai soulevé le drap.

Ziaur Ershard était gris. Avec les traits tirés. Des bourres de coton emplissaient les orbites vides de ses yeux. J'ai découvert son corps. Ce n'était plus qu'une longue et interminable entaille à peine suturée de gros fils noirs. J'avais beau avoir eu la certitude de ce que j'allais trouver, je n'en ressentais pas moins une immense fatigue. Mes membres et ma tête étaient lourds. Ce gamin avait été vidé de ses organes comme un poulet sous cellophane... Et pire que tout, je trouvais ça normal. N'était-ce pas la première et unique règle de Ouang Schock ? Rentabiliser ses investissements ! Alors après tout... payer un voyage à un gamin pour un seul rein et un seul poumon aurait-il été économiquement viable ?

Je suis restée longtemps devant le corps de Ziaur Ershard pour être sûre que ma veste d'ombre ait bien en mémoire la bonne image. Et puis, je me suis décidée à me faire Paritoshan, Kantikano, Baodang et Akremy en prime s'il était pour quelque chose dans toute cette merde.

RAPPORT PRÉLIMINAIRE
District central
Diffusion interne

Le 13/10/2057
Lieutenant de permanence : Samuel D. Tronker

Direction centrale : Wayne Cassidy
OSPD 001 / District Central

N°/219-103-42

Premières constatations relatives au double meurtre du 107 Imperium Estate ESW112.
Rapport non définitif.

Sujet 1 : Miutu Muy : 62 ans / 1 m 62 / 42 kilos
Sujet 2 : Moïra Gumchara : 25 ans / 1 m 73 / 61 kilos

Muy semble avoir été étranglée à l'aide d'une serviette-éponge. L'absence de marque sur la gorge le laisse supposer même si l'on n'a pas retrouvé la serviette. La compression des carotides a dû entraîner une rapide perte de connaissance puis la mort par asphyxie. On peut supposer également que l'assassin a agi par derrière et très rapidement. Nous n'avons pour l'heure pas relevé de traces sous les ongles de Muy.

Gumchara a vraisemblablement été abattue avec un pistolet à air comprimé du type de ceux utilisés sur les bovins en abattoir. L'absence de brûlures et la régularité de la plaie plaident pour cette hypothèse.

L'orifice d'entrée se trouve à la jonction du crâne et des deux premières vertèbres. La mort a dû être instantanée.

Les premières constatations me laissent penser que la scène du crime telle que nous l'avons découverte est une mise en scène. Je ne m'explique pas la raison de cette volonté. Je me l'explique d'autant moins que l'absence d'empreintes sur le godemichet et le fait que Gumchara était obligatoirement dos à son assassin pour qu'il puisse la tuer ne pouvaient nous échapper.
En tout état de cause, les corps ont donc été déplacés et mis en scène. Pourquoi ? Je ne le sais pas.

Suite à votre demande et après vérification auprès des services courriers de Télé7, un courriel a bien été envoyé du bureau de Muy à 20 h 12.

L'analyse du e-Me de la victime, retrouvé sur les lieux du crime, montre qu'il a été éteint et détruit à 19 h 39.

# 29

Je suis passée au bureau pour downloader les images que j'avais tournées ces deux derniers jours. J'avais beau savoir que la veste d'ombre offrait une mémoire suffisante pour stocker jusqu'à 23 gigas d'image, je préférais transférer mes films sur le serveur de Télé7 pour être sûre et certaine de ne pas les perdre. Deux précautions valent mieux qu'une.

Je n'étais pas arrivée depuis dix minutes que Robert Wang Cheun May, le directeur des programmes, est entré. Il m'a lancé un triste sourire avant de me tendre la main.

— Comment allez-vous, Ashelle ?

— Aussi bien que possible.

— Si je peux faire quelque chose pour vous aider, n'hésitez pas. Que ce soit à titre personnel ou professionnel. Je suis plus ou moins au courant du sujet sur lequel vous êtes en train de travailler.

Miutu m'en avait rapidement parlé et j'avais reçu des ordres.

— Je vous remercie, Monsieur...

— Je ne venais pas plus pour vous voir que pour vous offrir mon aide, Ashelle. Monsieur Quinte veut vous voir.

— Oh... Quand ?

— Maintenant.

— D'accord, je vous suis.

Je me demandais ce que me voulait le grand patron.

C'était la première fois que je prenais l'ascenseur des « Exécutives ». Il était coffré de bois et ne s'ouvrait que sur présentation du e-Me dûment encodé. N'y avaient droit que ceux dont la carte de visite portait en caractères simples, mais rouges, la mention « directeur ».

Nous sommes montés au 46e et dernier étage du Quinte Plazza. Le bureau de Jonah Quinte occupait tout l'étage. Seule une pièce, celle de son staff de secrétaires (hommes et femmes), empiétait sur l'immensité de son domaine. Au bout de cette pièce sans fenêtre s'ouvrait la porte vers le saint du saint. Robert Wang adressa un signe de tête interrogatif à une grande brune rondelette, mais très bien habillée. D'un autre geste, elle l'invita à passer.

Nous nous sommes avancés et Robert m'a ouvert la porte. L'immense plateau du 46e étage semblait fuir à l'infini par les baies vitrées.

Décidément, Quinte n'aimait pas les univers clos. Il était assis au milieu d'un gigantesque bureau circulaire. Tout autour de lui, à mi-hauteur, une trentaine d'écrans de télévisions branchées sur l'ensemble des chaînes du monde dont les programmes tournaient aléatoirement toutes les minutes. Un kaléidoscope géant d'images, de sons, de couleurs, de musiques, de genre, de sang et de culs... la terre en trente-six mille écrans, en deux cent mille spots de pubs, en milliers de reportages. Et Quinte au milieu.

À l'écart de ce QG cathodique, un salon avec canapés et fauteuils autour d'une table basse couverte de verres, de carafes et de flacons.

Lorsque nous sommes arrivés, Quinte était assis sur son grand fauteuil de cuir et tournait lentement sur lui-même, les yeux rivés sur les écrans. Il buvait le monde.

Robert m'a fait signe d'attendre. Au bout de trente secondes de silence, la rotation de Quinte l'a amené à nous découvrir. Il s'est levé et de la main nous a invités à nous asseoir sur le canapé de son « salon » où il nous a rejoints.

— Je connaissais vos liens avec Miutu Muy, Mademoiselle Vren, et je tiens à vous apporter toute mon affection dans ces moments délicats. Si je peux faire quelque chose pour vous, si Télé7 peut faire quelque chose, n'hésitez pas à le demander.

— Je vous remercie, Monsieur, mais ça va.

— Très bien. Désirez-vous boire quelque chose ? Café, thé ? Un alcool ?

— Un jus d'orange, s'il vous plaît.

Il se leva pour ouvrir un meuble bas qui camouflait un réfrigérateur et en sortit une bouteille de jus d'oranges fraîchement pressées.

— J'ai personnellement demandé à Madame Romitz de suivre cette affaire avec toute la diligence possible. À titre personnel, je tiens à ce que l'on retrouve et punisse le ou les coupables... en tant que président de Télé7, je me refuse à l'idée qu'un de mes employés puisse être tué dans l'exercice de ses fonctions. Nous trouverons les coupables, Mademoiselle Vren, je vous le certifie.

— Merci, Monsieur.

— Pensez-vous que la mort de Mademoiselle Muy ait un rapport quelconque avec votre enquête ?

Pendant une seconde, j'ai eu comme un malaise. Pourquoi me posait-il exactement la même question que Lautre ? Et puis la sensation de rater quelque chose est passée.

— Je ne sais pas. Si mon enquête devait pousser les gens que je traque au meurtre, je pense qu'ils s'en prendraient d'abord à moi. Miutu n'était pas sur le terrain et je ne vois pas comment ils pourraient savoir qu'elle travaillait avec moi.

— Pour vous, il n'y a donc pas de lien ?

— En tout cas, je n'en vois pas pour l'instant.

– Robert m'a fait parvenir les premières images de votre reportage. N'y voyez aucune intrusion de ma part dans votre travail. Simplement, vu les événements, je veux être au courant de votre avancée pas à pas. C'est à ce prix que nous pourrons assurer votre sécurité.

– Je comprends, Monsieur.

– Alors, pouvez-vous me raconter où vous en êtes ?

Je trouvais que l'on était passé bien vite sur la mort de Miutu, mais je me suis dit que cela ne me ferait pas de mal de mettre un peu d'ordre dans mon enquête. Depuis le début, je passais d'une horreur à l'autre sans véritablement faire le lien entre toutes les informations.

– J'ai volontairement fait le choix d'un reportage-vérité. Plutôt que de partir du trafic en général, je me suis attachée à suivre les traces d'un individu en quête d'organe pour sauver un membre de sa famille.

Quinte posa sa main sur mon bras pour me marquer son soutien.

– J'ai pu remonter ainsi une filière, découvrir un pourvoyeur, un chirurgien et une clinique mêlés au trafic. Miutu de son côté a découvert un dossier classifié à la BNE qui semble rattacher la Indeed Company, une fiduciaire suisse en charge de la gestion de fonds d'Aly Assan Akremy.

Quinte fit une grimace et me demanda.

– Vous avez ce dossier ?

Je le lui remis et il se mit à le feuilleter.

— Où avez-vous trouvé cela ?

— Dans les fichiers de la BNE.

— Ahurissant. Vous voyez Robert, nous en revenons à notre vieux débat : il faut contraindre ces organismes à durcir leur politique de sécurité. Enfin, ne nous en plaignons pas... Dire que nous avions toutes les preuves sous la main et que nous ne le savions pas ! Un bon journaliste trouvera toujours une aiguille dans une botte de foin, mais cachez cette même aiguille dans une boite de couture, et personne ne mettra jamais la main dessus.

— Peut-être. N'empêche que ce dossier n'est pas suffisant pour boucler notre reportage. Ce ne sont pas trois feuilles d'un rapport sorti d'un cul-de-basse-fosse qui feront trembler Akremy.

— Vous avez raison. Mais je vous félicite, Mademoiselle. Vous avez mis un nom là où il n'y avait que l'ombre. Et quel nom ! Akremy ! Maintenant, j'aimerais bien savoir pourquoi il trempe dans ce marigot. Enfin quoi, il n'a pas besoin d'argent.

— Je pense qu'il a besoin de malades pour tester ses dernières découvertes. Posséder des cliniques lui en offre sur un plateau.

— Moui... ça se tient. En tout état de cause, il faut creuser plus avant dans cette direction. Mais vous n'avez plus beaucoup de temps. Vous devriez joindre Baodang.

– Oui, je vais essayer de le voir aujourd'hui.

– Comment comptez-vous procéder ?

– Je pense qu'il est en situation de faiblesse. Avec son procès et la demande des 27, peut-être voudra-t-il sauver sa peau en collaborant avec moi.

– Tenez-moi au courant.

Quinte s'est levé, marquant de la sorte la fin de l'entretien.

Nous nous sommes dirigés, Robert et moi, vers la sortie. Au moment de franchir la porte, Quinte a dit :

– Mademoiselle Vren, bouclez-moi cette enquête comme il faut et vous la présenterez en personne en prime time.

J'ai failli me retourner pour le remercier, mais Robert, d'une poussée de la main dans le dos, m'a fait sortir.

La porte s'est refermée et nous nous sommes dirigés vers l'ascenseur.

– Vous êtes presque devant le soleil, Ashelle. Ne nous décevez pas et vous brillerez avec les élus.

– Je ne raterai pas mon reportage, Monsieur.

– Donnez-lui la bonne conclusion, c'est tout ce que nous vous demandons.

# 30

J'ÉTAIS EN TRAIN de retourner au desk avec l'envie de fouiller dans l'ordinateur de Miutu lorsque mon e-Me a sonné. C'était Miron, l'avocat de Fat.

– Comment allez-vous, Maître ?

– Ma foi ! Aussi bien qu'un avocat peut aller lorsqu'il vient de perdre un de ses clients.

– On vous a licencié ?

– Yen Fat est mort hier soir, Mademoiselle Vren.

– Oh !?

– Vous n'étiez pas au courant ?

– Je n'ai pas beaucoup regardé la télé ces derniers temps... J'ai eu une journée chargée. Comment est-il mort ?

– L'autopsie nous le dira avec certitude, mais il semble qu'il y ait eu une erreur de dosage dans ses perfusions. Une trop forte ou trop faible dose de je ne sais quoi qui lui a été fatale.

— Un meurtre ?

— Holà, c'est beaucoup trop tôt pour le dire. Et ce n'est, de toute façon, pas à moi de tirer ce genre de conclusion.

— Et pourquoi m'appelez-vous, Maître ? Je n'étais pas proche de ce personnage au point de me lamenter sur sa mort.

— Je n'en doute pas, mais je suis tenu de respecter mes engagements envers mon client. Dans le contrat qui nous unissait, Monsieur Yen m'avait demandé en cas de mort brutale de vous remettre une URL. Ce que je vais donc faire.

— De quoi s'agit-il ?

— Je n'en sais rien et n'en veux rien savoir. Je ne fais qu'exécuter les dernières volontés de mon client.

Le cadran de mon e-Me m'avertit que je venais de recevoir un message.

— Je vais vous laisser, Mademoiselle, et vous souhaiter une bonne journée.

— Au revoir, Maître.

Le message que m'envoyait Miron ne contenait qu'une seule ligne : une URL. Je l'activais et arrivais sur une page m'invitant à donner un mot de passe. Pendant quelques secondes, je me suis creusé la cervelle pour le trouver. Puis me sont revenues en mémoire les dernières paroles de Fat lors de notre rencontre : « S'il m'arrive malheur, souviens-toi d'Ataraman Karzaï. »

J'entrais donc ces deux noms et arrivais sur deux fichiers. Un texte et une vidéo. Le temps de charger la vidéo, j'ai lu le texte.

*« Salut petit cul. Si tu lis cette lettre, c'est que je suis mort et que je n'ai plus rien à craindre de personne. Je ne sais pas comment je serai mort. D'une balle dans la tête ou d'un coup de surin. En tout cas, ce ne sera pas de vieillesse car sans cela, cette lettre ne te servirait à rien.*

*Tu voulais savoir qui se cache derrière cette saloperie de trafic d'organes, eh bien je vais te le dire : Akremy. Ce pourri d'ordure avec une image de saint. Je n'ai rien en direct contre lui, mais tu verras dans la petite vidéo que j'ai de quoi faire causer son fondé de pouvoir. Le gros Baodang.*

*Si tu l'as au mephone, parle-lui du Henry IV et de la nuit du 23 décembre à 23 h 45. Ça devrait l'amadouer.*

*J'espère qu'avec ça tu vas tous les envoyer me rejoindre.*

*Salut petit cul »*

La vidéo d'assez mauvaise qualité montrait le gros Baodang tout nu en compagnie de deux petites filles. Ce qu'il leur faisait subir donnait envie de vomir.

J'ai visionné en accéléré et j'ai vu Kashguy pénétrer dans la pièce pour récupérer les deux petites filles.

Transcript d'écoute 394/08
FYEO : Romitz OSPD / Bao-Belenguer S7

Appel : 157 845 777 652
Recevant : 547 699 658 223

13 h 10
**Appel :** Monsieur Baodang ?
**Recevant :** À qui ai-je l'honneur ?
**A :** J'aimerais vous parler, Monsieur. J'ai quelque chose à vous vendre.
**R :** Comment avez-vous eu mon numéro de téléphone ?
**A :** En me cachant derrière les miroirs, Monsieur Baodang.
**R :** Qu'est-ce que vous racontez ? Je ne comprends rien à votre patacoueck.
**A :** J'aime beaucoup les miroirs, Monsieur Baodang. Les grands et les petits…
**R :** Écoutez je vais raccrocher…
**A :** Connaissez-vous le Henry IV, Monsieur Baodang ?
**R :** Qui êtes-vous ?
**A :** Connaissez-vous la salle des eaux et ses grands miroirs ?
**R :** …
**A :** Le 24 décembre dernier à 23 heures 45, deux petites caméras placées derrière ces miroirs ont enregistré une scène mémorable dont vous êtes le héros, Monsieur Baodang.
**R :** Que voulez-vous ?
**A :** J'aimerais vous rencontrer, Monsieur Baodang.

**R :** Quand et où ?

**A :** Vous allez conserver votre e-Me en main et bien collé à votre oreille et votre bouche et descendre dans la rue.

**R :** Je...

**A :** Si vous n'êtes pas sur le trottoir dans trente secondes, Monsieur Baodang, vous allez devenir la vedette d'un charmant clip vidéo.

**R :** Je descends...

**A :** Ne raccrochez surtout pas, Baodang. À la moindre coupure, je disparais et vous apparaissez sur les écrans du monde entier.

**R :** J'arrive.

13 h 13

# 31

Baodang est apparu sur le trottoir au milieu de la foule. Il avait son e-Me à l'oreille et jetait des coups d'œil affolés dans tous les sens. J'ai approché mon indu et me suis arrêtée juste à sa hauteur. J'ai ouvert la portière et l'ai invité à monter.

Il s'est assis à ma droite en me dévisageant avec insistance. J'ai démarré et il a sorti de sa poche un petit pistolet noir qu'il a braqué sur mon ventre. Curieusement, je n'ai pas eu peur même si je ne m'attendais absolument pas à ce type de réaction de la part d'un Baodang. Dans mon esprit, les types qui s'envoient en l'air avec des enfants étaient forcément des couilles molles. L'expérience était en train de me prouver le contraire.

— Vous allez me dire qui vous êtes et ce que vous voulez.

— Vous allez ranger ce machin et m'écouter.

— Vous n'êtes pas en position de discuter, ma petite. C'est moi qui ai l'arme en main.

— Vous avez une arme… moi j'ai une vidéo de vos ébats. Tirez et elle sera diffusée.

Il a réfléchi une trentaine de secondes avant de remettre son arme en poche.

— OK. Combien ?

— Je ne veux pas d'argent.

— Pardon ?

— Je veux des renseignements sur la Indeed Company.

— Ah… C'est…

Pendant une seconde, il a eu l'air intrigué, puis soulagé, comme si d'un coup je n'étais plus une menace. Je n'ai pas compris pourquoi il réagissait de la sorte, mais dans mon esprit un tiroir s'est ouvert pour recevoir et conserver cette interrogation. Au fond du tiroir, j'ai vu d'autres questions qui attendaient. Je me suis promis d'y jeter un œil à l'occasion.

— Que voulez-vous savoir sur la Indeed ?

— Pourquoi avez-vous acheté 40 % des cliniques de la ville et 33 % de l'université Barnard ?

Il a ouvert les yeux en grand.

— C'est un investissement industriel comme un autre. C'est le marché d'avenir. Tous les experts estiment une progression à deux chiffres des dépenses de santé sur les vingt prochaines années.

— Pourquoi Akremy investit-il dans la santé alors que son empire industriel est fondé sur la bouffe synthétique et les OGM ? Reconnaissez que c'est une diversification curieuse de ses activités.

– Non. Il veut se porter sur les marchés rentables.

– Si c'est aussi clair que ça, pourquoi avance-t-il masqué ? Pourquoi crée-t-il la Indeed au lieu d'utiliser une de ses nombreuses sociétés ?

– La discrétion est une donnée de base dans les affaires...

Il s'est arrêté et m'a regardée avec insistance.

– Non mais attendez. À quel jeu jouons-nous ? Vous me menacez de diffuser une vidéo compromettante en échange de banalités économiques que vous pourriez trouver sur n'importe quel site d'infos ? Qu'est-ce que c'est ce bordel ? Que cherchez-vous vraiment, Madame ?

– J'essaie de comprendre pourquoi un homme comme Akremy en est arrivé à favoriser le trafic d'organes sur Ouang Schock !

– De quoi parlez-vous ?

– Vous m'avez parfaitement comprise, Monsieur Baodang.

Il a baissé la tête et il a marmonné.

– De toute façon, je n'ai plus le choix... ils me tiennent à deux mains maintenant.

Je n'étais pas sûre d'avoir bien entendu.

– Que voulez-vous dire par « ils », Baodang ?

– Qu'est-ce que ça peut vous faire, Madame ? Vous voulez Akremy, je vais vous le donner.

Ma veste d'ombre pesait sur mes épaules.

— À Ouang Schock, la part des plus de 80 ans représente 12 % de la population et leur espérance de vie est de 20 ans... et dans 20 ans, à moins d'une épidémie, les plus de 80 ans représenteront 20 % de la population et leur espérance de vie pourrait être de 25 ans. Je dis « pourrait », car la médecine traditionnelle ne peut pas l'assurer. Et pour donner à cette masse de vieux une nouvelle vie plutôt qu'une interminable fin de vie il y a deux choix : les nanotechnologies ou le clonage thérapeutique. Je serais bien infoutu de vous dire laquelle de ces deux options est la meilleure... sans doute les deux ont-elles leurs avantages et leurs inconvénients. Je ne sais pas si vous avez suivi les infos dernièrement, mais il y a un important débat sur le sujet : certains défendent le clonage en arguant que s'introduire dans le corps des machines, aussi petites soient-elles, risque de nous transformer en cyber humain et de nous éloigner petit à petit de notre nature humaine. Les autres voient dans le clonage le risque de création d'une sous-espèce qui n'aura d'autre raison d'être que de nous servir de pièce de rechange. Encore une fois, je ne sais pas qui a raison, mais ce que je sais, c'est que le public regarde ces deux technologies avec beaucoup de circonspection. Le débat est beaucoup trop passionné et embrouillé pour que le public puisse se faire son idée. Les experts estiment qu'aujourd'hui, si l'on proposait l'une ou l'autre méthode, les clients ne se précipiteraient pas malgré le besoin. C'est une réaction compréhensible car il n'est pas simple de vivre avec l'idée que plusieurs robots circulent de manière autonome dans votre sang et votre chair, tout comme il n'est pas facile d'imaginer vivre avec le foie ou les reins de votre double plongé artificiellement dans le coma. Mais ce n'est qu'une question de temps et d'éducation pour que cela change.

« Si j'osais, je pourrais faire le parallèle avec la pomme de terre : lorsqu'elle est arrivée en Europe, les gens crevaient de faim et pourtant ils n'en ont pas voulu. Le pouvoir en place a eu beau vanter les mérites de ce tubercule, la population restait sceptique. Il aura fallu qu'un type imagine de faire protéger les champs de patates par des hommes en armes pour que la population en vienne à accepter l'aliment.

« Eh bien, nous en sommes au même point aujourd'hui. Que faire pour que les gens acceptent de se faire insérer de mini robots ou des organes prélevés sur un double dans le corps pour vivre en forme ?

« Ajoutez à cela que les sommes à investir dans les infrastructures industrielles pour fournir le marché sont telles qu'il est obligatoire de s'assurer dès le départ de la plus large surface de vente possible et vous comprendrez pourquoi se lancer dans un marché de ce type sans posséder les cliniques pour effectuer les opérations reviendrait à investir massivement dans la fabrication d'automobiles, sans se soucier de mettre en place un réseau de concessionnaire.

— Attendez, Baodang. Ce que vous racontez est passionnant, mais je ne vois pas ce qu'Akremy vient faire là-dedans. Pourquoi un type qui est leader de la bouffe synthétique veut-il se lancer dans la médecine... surtout si c'est aussi risqué que vous le dites ?

— Le pouvoir, Madame. Tout simplement. Celui qui sera le maître de la santé de Ouang sera le maître de Ouang. Car pour qui voterez-vous demain, Madame ? Pour celui qui vous proposera encore plus de jeux à la télévision ou celui qui vous assurera une vieillesse en pleine forme ?

— Vous êtes en train de me dire qu'il ne s'agit que de pouvoir ?

— De quoi pourrait-il s'agir d'autre, Madame ? Croyez-vous vraiment qu'à ce niveau, les hommes courent encore après l'argent ? Ils en ont plus que ce qu'ils pourraient dépenser en cent vies. Akremy est riche. Plus riche que ce que vos rêves les plus fous peuvent imaginer. Mais il ne dirige pas Ouang Schock et il ne la dirigera jamais s'il n'a pas entre les mains le moyen de peser sur les consciences des habitants.

— Pourtant les sondages...

— Les sondages ! Laissez-moi rire. Et même s'il gagne les élections, quelle sera sa marge de manœuvre lorsque l'ensemble des médias critiquera sa politique ? Hein ?

— D'accord, je comprends. Il achète des cliniques pour accéder au pouvoir... ce que je ne comprends pas, par contre, c'est son lien avec le trafic d'organes. Pourquoi un type qui veut faire des nanotechnologies la médecine de demain, se commet-il avec un trafic aussi sordide ? Ce n'est pas logique.

— La pomme de terre, Madame, la pomme de terre.

— Je ne comprends pas.

— Oh que si, vous comprenez, mais vous n'osez pas vous l'avouer. Accepteriez-vous que l'on introduise dans votre corps un robot qui va vous ausculter de l'intérieur et transmettre ces données à un gigantesque serveur privé qui décidera des réparations à entreprendre ? Accepterez-vous qu'une multinationale détienne dans de grosses bases de données des informations aussi intimes sur vous et votre famille ? Imaginez ce que votre concurrent, celui qui a investi dans le clonage thérapeutique, pourrait mettre en place comme campagne médiatique de dénigrement. Pensez-vous qu'un homme d'affaires puisse prendre le risque de se lancer sur un marché aussi risqué et aussi gourmand en capitaux avec en ligne de mire un danger aussi grand ?

— Je ne comprends toujours pas.

– D'ici un mois, SynchroTV va sortir un important reportage sur le trafic d'organes. Toute cette saloperie va être jetée en pâture au public et Akremy être présenté comme celui qui l'a révélée et qui veut la combattre. En parallèle, une importante campagne de publicité va être lancée pour vanter les mérites des nanotechnologies.

« D'un côté, vous aurez ce que la marchandisation du vivant a de pire : le trafic d'organes, et de l'autre, la médecine du futur. Le public fera son choix tout simplement.

« Le scandale sera énorme. Un grand nombre d'individus sera envoyé pourrir à Gia, une loi sera votée pour interdire le clonage thérapeutique et Akremy sera le maître absolu de Ouang Schock.

– C'est un peu gros, non ?

– Plus c'est gros, plus ça passe. Et ce n'est pas moi qui le dis, mais un maître en la matière : le fameux docteur Goebbels.

– S'il y a une enquête, on trouvera forcément les liens entre Akremy et le trafic ?

– Lesquels ? Akremy va dire qu'il a découvert le trafic en mettant de l'ordre dans les finances des cliniques qu'il rachetait. Il va même proposer de faire fermer ces cliniques... je vous l'assure, il passera pour un saint. La meilleure preuve de son innocence est qu'il n'a même pas cherché à camoufler ses opérations. Tout le monde peut d'ailleurs en trouver la trace au Bureau de l'Information Économique.

— Moui... d'après mes sources, c'est un dossier classifié.

— Tellement classifié que vous n'avez eu aucune difficulté à vous le procurer.

— Peut-être. Et vous, dans cette affaire ? Quel est votre rôle ?

Il leva les mains en l'air.

— Je suis le financier. Point à la ligne. Je dégage les capitaux de nos lignes de compte, je planifie et échelonne les participations de nos partenaires, je négocie avec les banques...

— Ce n'est pas ma question, Baodang. Je veux savoir pourquoi vous participez à cette monstruosité ? Pourquoi acceptez-vous les morts d'innocents ? Pourquoi vous vautrez-vous dans ce trafic alors que vous n'aurez jamais le pouvoir ?

— Pourquoi ?

Il se prit le visage dans les mains pendant une seconde puis releva son regard vers moi.

— Parce que j'aime les enfants et que notre monde qui permet tout a décidé que mon amour était vicieux, pervers et condamnable. J'aide Akremy parce qu'il possède bien d'autres éléments sur moi que votre minable petite vidéo.

J'ai arrêté l'indu et j'ai fait signe à Baodang de descendre. J'allais repartir quand il a frappé à mon carreau. J'ai baissé la vitre.

— Tout à l'heure, vous m'avez demandé ce que je voulais dire par « ils ». Eh bien, l'histoire que je viens de vous raconter, vous pourriez la raconter en remplaçant Akremy par « ils » et elle serait tout aussi authentique.

— Je ne comprends pas ce que vous dites.

— Ce n'est pas grave... Je voulais juste vous dire qu'Aly Assan... enfin, Akremy n'était pas le pire de tous. Au revoir, Madame.

J'ai relevé la vitre et je suis partie.

Transcript d'écoute 357/108
FYEO : Romitz OSPD / Bao-Belenguer S7

Appel : 547 699 658 223
Recevant : 547 896 621 555

15 h 16
**Appel :** Lautre ? C'est moi.
**Recevant :** Comment allez-vous, Liam ?
**A :** Qu'est-ce que c'est que cette histoire de vidéo ?
**R :** Ah, vous avez donc rencontré notre limier. Cela s'est bien passé ?
**A :** Ne me faites pas chier Lautre et répondez à ma question. Qu'est-ce que c'est que cette histoire avec le *Henry IV* ? Qu'est-ce que c'est que cette vidéo ?
**R :** Ne faites pas l'innocent, Liam, vous le savez très bien. Nous ne l'avons pas inventée.
**A :** Il n'a jamais été question de ça. Jamais.
**R :** Eh bien maintenant, c'est comme ça. Et vous n'y pouvez rien. Continuez à nous servir et vous n'entendrez plus jamais parler de cette vidéo sordide.
**A :** Vous êtes une ordure, Lautre. La plus belle salope que j'ai jamais rencontrée de ma vie.
**R :** Venant d'un homme avec vos goûts sexuels, le compliment est de taille. Maintenant, répondez-moi. Que lui avez-vous dit ?
**A :** Mais elle a tout gobé, bon Dieu. Comme elle gobe tout ce que vous lui fourguez depuis le début. Mais

bordel de merde, vous n'aviez pas besoin de me faire ça. Je vous faisais confiance, Lautre !
**R :** Calmez-vous, Liam. Et arrêtez avec votre naïveté de collégien. Pensiez-vous vraiment que nous pouvions vous faire confiance ? Pensiez-vous vraiment que nous allions vous laisser courir sans laisse ? Vous êtes vraiment désespérant de bêtise.
**A :** Salaud.
15 h 21

# 32

JE SUIS PASSÉE voir Cassidy à l'Office Central. Un indu m'a déposée à la sortie 12 du Circle 1. Depuis les attentats de novembre 48, les véhicules autres que ceux de la police ont l'interdiction de s'approcher à plus de 500 mètres de l'Office. Par grand vent, les jours d'hiver, la traversée du « corridor de la mort », le surnom donné à la vaste esplanade, est une torture épouvantable. Par grand beau temps, les jours d'été, le soleil tape si fort que l'on ne peut arriver à l'Office que trempé de sueur. Dans les deux cas, on ne vient pas à l'Office en touriste... mais uniquement parce que l'on a quelque chose d'important à y faire.

Wayne m'attendait, mais ça n'a pas empêché Gracieuse de me faire chier. Elle m'a réclamé mon accréditation malgré mon e-Me encodé, la raison de ma visite et me fit patienter plusieurs minutes avant de prévenir son cher commissaire. Il n'aurait servi à rien de se plaindre de la méchanceté de

Gracieuse à Wayne : il l'adorait et pour tout l'or du monde, il refuserait de la laisser partir. Cette vieille bique le savait et en rajoutait des tonnes. Elle ne risquait rien.

Je suis entrée dans le bureau et Wayne qui de la main m'a fait signe de m'asseoir. Il était plongé dans la lecture d'un épais dossier et ne m'a pas adressé la parole pendant quelques minutes. J'en ai profité pour faire intérieurement le point sur le montage que j'allais débuter le lendemain.

Avec la confession de Baodang, j'avais largement de quoi raconter mon histoire. J'avais décidé de jouer sur le refus d'y croire. Une recette bien connue et qui a fait ses preuves. Au début, balancer les Vidéos Vigilants et le programme Lock-Face, avec un commentaire affirmant qu'à première vue, toute cette histoire relève de la légende urbaine et que pour le démontrer, je me suis lancée dans la recherche d'organes et suis entrée sans le savoir dans l'antichambre de l'enfer.

Je voyais bien les images que j'allais intercaler entre mes interviews et les bancs-titres dont j'allais assaisonner mon reportage. Pour la musique, je prévoyais une musique baroque et dérangeante.

Tout se mettait doucement en place et je voyais déjà l'audimat exploser.

J'en étais là lorsque Wayne s'est levé pour venir me rejoindre sur le canapé. Il s'est enfoncé dans le cuir et m'a posé sa main sur ma cuisse.

— Savais-tu que Moïra avait un pacemaker ?

– Non. Et pourquoi me dis-tu cela ? C'est important ?

– Je ne sais pas encore… mais je te le confirme. Elle avait un pacemaker. Un truc dernier modèle qui est suivi à distance par internet. Ça envoie des informations sur l'état de santé du patient à une base de données hébergée par le fabricant.

J'ai levé une main pour le faire taire.

– Commissaire, je t'en prie. Je m'en fous. Tu m'as demandé de venir car tu avais quelque chose à me dire, alors je suis là. Maintenant, dis-moi ce que tu as à me dire.

– Je suis en train de le faire, Ashelle. Moïra avait un pacemaker.

– Et alors ?

– Alors, nous connaissons exactement l'heure de sa mort. Son cœur a cessé de battre à 20 h 07.

– Et alors ?

– Tu m'as appelé l'autre nuit pour t'étonner que Miutu t'ait envoyé un message de sa boîte courriel de Télé7 à 20 h 14 alors qu'elle t'avait dit qu'elle était chez elle. Et je t'ai répondu que c'était sans doute Moïra qui l'avait envoyé.

– Exact, je me souviens.

– Comment Moïra a-t-elle pu t'envoyer un courriel à 20 h 14 alors que son pacemaker a cessé de fonctionner à 20 h 07 ?

J'étais bien incapable de répondre quoi que ce soit.

Wayne s'est levé et s'est approché de la grande baie vitrée de son bureau. Dehors, Ouang Schock s'étendait à perte de vue et les premières lumières faisaient leur apparition.

— Je ne sais pas qui est le meurtrier de Miutu et Moïra, Ashelle. Et je commence à penser que je ne le saurai jamais.

— Tu veux déjà clore l'enquête !? Je croyais que Miutu était ton amie.

— Cette réflexion ne sert à rien, Ashelle. Tu n'as pas besoin d'être méchante.

— Alors pourquoi me dis-tu que...

Il s'est retourné brutalement et m'a regardée droit dans les yeux.

— Moïra et Miutu ont été assassinées à 20 h 07 et « on » t'a envoyé le dernier message de Miutu à 20 h 14.

— Je ne comprends pas.

— On les a assassinées à cause de toi, Ashelle. Voilà ce que je pense.

— Tu... mais... enfin, c'est absurde... et puis pourquoi d'abord ?

— Je ne sais pas, Ashelle. Mais j'aimerais que tu réfléchisses à ça. Est-ce que Miutu travaillait avec toi sur ton affaire d'organes ?

— Non... Enfin, elle visionnait les images, mais rien de plus. Et puis, qu'est-ce que mon affaire a à voir là-dedans ?

– Je n'aime pas son odeur. Je te l'ai dit depuis le début. Et là, avec la mort de Miutu, j'ai mon petit grelot interne qui tintinnabule à fond la caisse et qui me dit *achtung, achtung* ! Miutu meurt et on t'envoie un dossier sorti tout droit du BNE et qui raconte comment la société je-ne-sais-quoi a mis la main sur un certain nombre de cliniques dans la ville... ça ne te paraît pas étrange ?

– Dit comme ça, oui... maintenant je ne sais pas. On aurait tué Miutu pour m'envoyer un dossier que tout le monde peut consulter au BNE ? Avoue que c'est encore plus tordu.

– Tu as raison. Je dois dérailler... N'empêche, je te supplie de faire attention, Ashelle. Ça pue la charogne.

# 33

*« Goopeal news minuit. Avec Abderahman Mansour. International : La conférence bioéthique de Bagdad a été annulée ce soir après l'attaque du centre de conférence par les fondamentalistes mormons. De son lit de l'hôpital Cheyney, le grand Mufti a appelé ses fidèles au calme et à la tempérance et à laisser les forces de l'ordre et la justice faire leur travail / Le chef d'état-major de l'armée israélienne, Gaby Ashkenazi estime qu'Israël doit « intensifier » ses attaques préventives sur les sites nucléaires iraniens malgré l'assurance du gouvernement iranien de l'arrêt de son programme de fusion froide / Simon Khun, prix Nobel de physique quantique et auteur de l'ouvrage sur l'incertitude relative, est mort ce matin à l'âge de 102 ans / Ouang Schock maintenant : à trois jours de l'élection, la CDI semble assurée d'une large victoire : Aly Assan Akremy aurait déjà rédigé la liste des ministres / La Direction générale de la santé a annoncé que la jeune clandestine, arrêtée hier sur le port de Ouang*

*Schock et dont plusieurs médias ont expliqué mardi matin qu'elle aurait pu être contaminée par le virus Ébola, ne l'était finalement pas. « Les résultats ne sont pas conclusifs et il y a des sérologies discordantes, avec des éléments divergents dans l'analyse déjà effectuée » / Affrontement sanglant entre bandes rivales dans les quartiers sud de la ville. La police anti-émeute a procédé à 67 arrestations et 12 prévenus ont été immédiatement placés dans le couloir de la mort de Gia / C'était Goopeal News minuit »*

Robert Wang Cheun May m'avait réservé la salle de montage du 30e étage. Celle des reportages stratégiques. C'était un signe qui ne trompait pas. Si j'arrivais à sortir quelque chose de choc de mon travail, ma carrière allait connaître une évolution rapide et brillante. Ça me consolait presque de la mort de Miutu. Et puis, je me disais que ce serait un beau cadeau pour elle de réussir à grimper les échelons en faisant du vrai journalisme. De là où elle était, elle en serait heureuse.

Robert m'avait proposé son aide et je l'avais acceptée. Le coup était énorme et je préférais avoir un type de son niveau à mes côtés pour m'assurer de ne rien oublier et de ne pas aller trop loin. Accuser Aly Assan Akremy, membre éminent de la CDI et candidat à la présidence du Parlement, n'était pas une mince affaire.

On a commencé à monter et plus nous avancions, plus nous étions sûrs d'avoir le reportage de l'année.

– Avec celui-là, on va faire crever de jalousie toutes les rédactions de la place, mon petit. Et pour ne rien vous cacher, j'aimerais bien être le présentateur de l'émission.

– Parce que ce n'est pas vous ?

– Non, c'est vous, Ashelle. Quinte l'a expressément ordonné. Vous avez pris les risques seule et c'est seule que vous allez briller au soleil de Ouang.

Même si depuis le début j'espérais cette récompense, je n'en étais pas moins un peu troublée. Mettre sa bobine en début et en fin de reportage sur le Goopeal est une chose. Ouvrir une émission et la tenir de bout en bout en est une autre. En aurais-je le talent ?

À l'écran, défilaient les images de Vidéos Vigilants, les rapports Lock-Face, une photo de Kashguy, Paritoshan au *Jungle Rumble*, Yen Fat avec son paquet de coton entre les jambes, le regard noir et terrifié du petit Ziaur Ershard et ses pieds nus avec, liée au gros orteil, une petite fiche cartonnée dans son box 17, le profil de mon père et ses tuyaux de plastique, la grosse tête de Baodang en surimpression d'une scène de fesse enfantine (car il n'y avait pas de raison que je le laisse s'en tirer comme ça), Grand Chelem et sa tronche de macaque déviant, Valencia flouté et ses discours tordus... Des images et des chiffres terribles qui montraient qu'un homme, un seul, avait orchestré et facilité cette horreur pour son unique profit.

14 minutes non-stop ! Le temps de remplir l'écart entre deux coupures de pub. Un bijou de reportage à charge.

On a terminé à 2 heures du matin et je suis allée me coucher dans un Lockers juste à côté du Quinte Plazza.

J'allais essayer de dormir car nous diffusions le reportage le soir même.

Par habitude, j'ai connecté mon e-Me. J'avais deux messages.

Le premier était de Wayne Cassidy et je notais qu'il m'avait écrit de son adresse personnelle et pas de l'OSPD :

*« Bonsoir la belle, j'ai trouvé quelque chose tout à l'heure. Et je n'aime décidément pas du tout ton histoire. Sans rentrer dans les détails, j'ai une créance à long terme sur un type qui travaille chez OSTélécom et je l'ai appelé sur cette histoire d'horaire et de courriel. Je voulais savoir s'il était possible que le courriel ait été retenu dans leur système pour une raison ou pour une autre avant d'être envoyé afin de savoir définitivement si le dernier mail de Miutu avait pu ou non être envoyé par Moïra... Enfin, pendant notre conversation, je lui ai demandé de me ressortir tous les messages envoyés par Miutu de sa boîte personnelle et professionnelle le jour de sa mort. Il y en a un pour toi que tu n'as pas reçu. Et tu ne l'as pas reçu*

*car il a été bloqué (volontairement ?) sur les serveurs d'OSTélécom. Tu me pardonneras de l'avoir lu, mais ça fait partie de l'enquête. Tu le trouveras en pièce jointe. Méfie-toi Ashelle, on est en train de te mener en bateau. Tu peux me joindre quand tu veux. »*

Message de Miutu en pièce jointe :

*« Ma gazelle. Je suis convaincue maintenant que nous sommes sur une affaire bien plus tordue que ce que l'on imaginait au départ. Comme je te l'ai dit au phone tout à l'heure, il s'est passé un truc étrange sur la base de données du BIE. Alors que je téléchargeais le rapport sur l'état économique du marché des cliniques, il y a eu une rupture réseau. Jusque-là, rien d'étonnant... ces choses-là arrivent. Quand j'ai relancé le téléchargement, la date du dossier avait changé. Je m'explique : j'ai commencé un téléchargement sur le dossier N° 107-116-0756. Celui que j'ai téléchargé après la coupure portait le numéro 107-116-1057. Je l'ai noté parce que, comme tu le sais sans doute, dans la classification du BIE les 4 derniers chiffres donnent la date, et que j'étais contente d'avoir un dossier récent. La coupure réseau m'avait donc orientée sur un dossier encore plus récent... mais m'avait également coupé le lien avec le premier.*

*Le changement de date m'a intriguée et par souci de vérification, j'ai fait une demande express au BIVSOP. C'est un organisme basé en Suisse et qui dépend de l'ONU qui est en charge de la surveillance mondiale des mouvements de capitaux. Toutes les commissions de bourse du monde sont tenues d'y envoyer leurs rapports nationaux.*

*J'ai reçu la réponse du BIVSOP il y a une heure et j'ai constaté que le numéro de dossier était bien le 107-116-0756.*

*Si tu compares les deux dossiers, tu verras que le second, celui que j'ai pu télécharger ici, n'est pas identique à la version originale. Dans la version originale du BIVSOP, la société mère derrière le rachat des cliniques est la Ataraman Karzaï.*

*Nous en parlerons tout à l'heure.*

*Je t'embrasse. Essaye de ne pas arriver trop tard pour l'anniversaire de Moïra.*

*Miutu.* »

Le dernier message de Miutu et celui plus étonnant de Yen Fat qui d'outre-tombe, lançait le coup de pied de l'âne à tous ceux qui avaient planifié sa mort en me donnant Ataraman Karzaï comme mot de passe, venaient d'ouvrir un tiroir dans mon esprit dans lequel m'attendait un assez grand nombre de questions.

Depuis le début de mon enquête, j'avais foncé droit devant moi sans prendre le temps de réfléchir. Ou plus exactement, j'avais foncé tout droit vers la lumière que m'avait promise Quinte sans me poser la moindre question. J'avais tellement voulu être une présentatrice vedette que je n'avais cherché rien d'autre que les moyens d'y parvenir.

Deuxième message :

« *Mademoiselle Vren, l'état de santé de votre père s'est considérablement dégradé aujourd'hui et nous pensons que vous devriez venir le voir avant qu'il ne soit trop tard. Si l'opération en elle-même a été couronnée de succès, la faiblesse physiologique et physique de votre père était telle que ses chances vitales ont toujours été faibles. Les horaires d'ouverture de la clinique sont...* »

Je n'ai pas lu la suite et je me suis endormie.

# 34

Robert m'écoutait depuis dix minutes sans m'interrompre. Puis, lorsque j'eus fini de parler, il résuma mon propos.

— Vous êtes en train de me dire que vous voulez annuler votre reportage parce que vous pensez qu'une conspiration a été montée pour faire passer Aly Assan Akremy pour le parrain du trafic d'organes. Êtes-vous folle, Ashelle ?

— Robert, je ne vous demande pas d'annuler le reportage, simplement de le décaler d'une semaine ou deux, le temps que je fasse des recherches sur la Ataraman Karzaï. J'ai découvert hier que quelqu'un avait pénétré le réseau du BNE pour y substituer un dossier original et le remplacer par un autre. Un faux qui met en cause Akremy.

— Et la confession de Baodang ?

— Il est dans la combine parce que ceux qui sont derrière cette machination le tiennent avec des vidéos pédophiles.

— Tout ça me paraît tiré par les cheveux, Ashelle.

— C'est moi que l'on a tirée par les cheveux pour que je suive gentiment une piste toute tracée, Robert.

Il m'a regardée quelques instants en silence.

— Ashelle, je vais vous donner un conseil. Vous voulez briller au soleil de la célébrité ?

— Je ne comprends pas.

— Je vous ai dit récemment qu'un jour vous seriez amenée à faire des choix. C'est le jour, Ashelle. Présentez votre reportage et ne cherchez pas à savoir à qui appartient la Ataraman Karzaï.

— Parce que vous le savez ?

— Bien sûr.

— Qui est-ce ?

— Vous le savez déjà : c'est Alexandre Lautre.

J'ai encaissé le coup... mais curieusement, je n'ai pas été étonnée.

— Et Lautre, c'est Quinte n'est-ce pas ?

— Bien sûr.

— Vous êtes au courant depuis le début ?

— J'ai fait des choix, Ashelle. Faites-le vôtre.

— Pourquoi moi, Robert ? Pourquoi m'avoir choisie ?

Il a haussé les épaules.

— Parce que votre ambition est telle que rien ne vous sera trop gros à avaler pour vous hisser là où vous rêvez de vous asseoir, Ashelle.

Que pouvais-je répondre ?

— Vous allez descendre chez Hubert Jee pour vous préparer pour l'émission, Ashelle.

— Que va-t-il se passer ?

— Exactement ce que ce con de Baodang vous a raconté… les reportages sont déjà prêts. Simplement, les nanotechnologies ne seront pas présentées comme la solution du futur. Ne perdez pas de temps, Ashelle… les cartes sont déjà jouées et vous n'êtes pas admise à la table… ou alors comme moi, comme une carte de plus.

# 35

On m'a permis de m'approcher de mon père et de lui tenir la main. Elle était légère comme une plume. Il avait moins de tuyaux et de fils électriques sur le corps que lors de ma dernière visite et sa peau semblait grise. Ses lèvres, qui étaient dans mon souvenir d'enfant, roses et charnues, avaient pratiquement disparu de son visage.

J'ai posé ma main sur sa poitrine et je ne l'ai pas senti bouger.

J'ai levé les yeux vers le médecin.

– Il est encore avec nous, Mademoiselle. Mais je ne vous cache pas qu'il ne le doit qu'aux machines et aux médicaments. Vous devez accepter l'évidence qu'il ne reprendra plus jamais connaissance. Nous pouvons le conserver ainsi pendant quelques jours encore... voire quelques semaines, mais pas plus. Et, hum... ce type d'hospitalisation coûte très cher. Aussi, si vous le souhaitez, nous pouvons couper l'assistance. Il s'éteindra sans souffrir.

J'ai demandé au docteur de nous laisser.

Une fois seule, j'ai posé ma tête dans le creux de son épaule. J'ai fermé les yeux et j'ai porté sa main jusqu'à mes cheveux. J'ai rêvé qu'il me caressait la tête comme dans mon enfance. Que sa main chaude, lourde et pourtant si douce me consolait. J'avais au cœur ces après-midis chaudes de l'été ou, en larmes, je me blottissais sur lui. Il me serrait dans ses bras et fredonnait deux notes, toujours les mêmes, pendant que je pleurais dans son cou. Cela durait, durait, durait... le temps que mes larmes sèchent, que mon chagrin s'évapore. Il ne disait pas un mot, ne me demandait jamais la cause de ma peine. Il me prenait dans ses bras et me câlinait.

Oh ! Papa !

*« Goopeal News édition spéciale par Robert Wang Cheun May. Bonsoir. L'émission de notre éminent confrère Ashelle Vren sur le trafic d'organes à Ouang Schock diffusée hier sur notre antenne a déclenché un raz-de-marée sans précédent sur la ville. Aly Assan Akremy, mis en cause dans le reportage, a présenté sa démission de la CDI au bureau fédéral de son parti qui l'a acceptée : « J'ai demandé au ministère de me placer sous mandat de témoin assisté afin de pouvoir me consacrer pleinement à l'établissement de mon innocence » / Le docteur Kantikano, arrêté ce*

*matin, a été placé sous mandat de dépôt à la prison de Huan Gia. Son avocat a annoncé que le docteur Kantikano reconnaissait les faits et offrait sa pleine et entière collaboration à la justice / Paritoshan, le parrain de la pègre, s'est suicidé ce matin avant que les forces de l'OSPD ne viennent l'arrêter / Jonah Quinte, président de la chambre, a annoncé qu'une commission d'enquête allait être mise en place / Melinda Cheu, directrice de la Recherche et Développement de Gen Technologies et présidente de la commission de bioéthique a déclaré : « Cette terrible affaire montre de manière évidente qu'il est grand temps de légiférer sur le clonage thérapeutique et de le rendre légal. Si nous tardons à prendre nos responsabilités d'élus, d'autres scandales du même type éclateront bientôt » / Amina Funds Foods a perdu 57 % de sa valeur ce matin à la bourse de Ouang Schock et les autorités de tutelles ont demandé à ce que sa cotation soit suspendue / Liam Baodang a reçu le soutien de l'association des directeurs financiers de Ouang Schock et ses frais d'avocats seront pris en charge par l'association / Alexandre Lautre président de la Ataraman Karzaï, un consortium d'intérêts financiers spécialisé dans le domaine médical, a été chargé par le Parlement de constituer un comité de surveillance sur l'attribution des licences d'exploitation des cliniques de Ouang Schock / Avec 57 % des suffrages, le GCA a remporté les élections… »*

Wayne m'avait un jour refilé en douce un engin clandestin qui permettait de débrancher les écrans de télé. Pour la première fois de ma vie, je m'en suis servi.

http://www.freewiki.co.os/wiki/medecine

Cet article est en cours de rédaction.

Les données proposées n'ont pas encore été validées par le comité éditorial.

Révélé par un reportage diffusé sur Télé7 (une des chaînes du bouquet de Jonah Quinte), le scandale de l'Indeed Company a profondément bouleversé la donne économique de la cité de Ouang Schock.

Aujourd'hui encore, alors que la justice n'a toujours pas clos le dossier, les contrecoups de ce scandale se font sentir.

En octobre 2057, Ashelle Vren, alors journaliste à Télé7, dénonçait à l'antenne Aly Assan Akremy, membre éminent de la Chambre des Industriels et P.D.G. d'Anima Funds Foods, d'être à l'origine d'un trafic d'organes. D'après Ashelle Vren, Akremy voulait dénoncer le trafic qu'il avait lui-même organisé pour amener la population à préférer les nanotechnologies au clonage thérapeutique.

Dès la sortie du reportage, Akremy accusa le Grand Conseil des Annonceurs, dont Quinte était le chairman, d'avoir monté cette affaire pour faire perdre les élections à son parti.

Destitué de son mandat, il fut incarcéré à Huan Gia pendant trois ans avant que l'enquête ne démontre que sa participation dans la Indeed Company était le fruit de malversation d'un certain Liam Baodang, pédophile notoire, et ancien trésorier de la CDI.

Libéré, mais pas disculpé, Aly Assan Akremy se retira de la vie politique.

## Une révolution industrielle

À la suite de la diffusion du reportage, le Parlement décida de légaliser le clonage thérapeutique afin de « s'assurer que la médecine moderne et la société soient en mesure de fournir en nombre et qualité des organes ne venant pas d'hommes et de femmes contraints par la misère à vendre leur chair ».

La loi fut votée à la quasi-unanimité du Parlement.

Trois semaines plus tard, l'Ataraman Karzaï, une société appartenant à un consortium suisse, ouvrait la première ferme de clones.

Son président, Alexandre Lautre, avait été nommé par la chambre afin de veiller à l'attribution des licences d'exploitation des cliniques de greffes.

En cinq ans, l'Ataraman Karzaï trustait 60 % du marché.

Jonah Quinte, CEO en titre du Parlement, exigea une commission d'enquête publique pour déterminer si l'Ataraman Karzaï n'avait pas bénéficié de faveurs dues aux fonctions de Lautre.

Après six mois d'auditions, la commission exigea que l'Ataraman Karzaï se dessaisisse de 37 % de ses cliniques pour rétablir une saine concurrence sur le marché.

Hurlant au complot, Alexandre Lautre menaça de faire des révélations si la commission ne revenait pas sur sa décision.

Le 12 juin 2061, Alexandre Lautre était assassiné en bas de chez lui par un désaxé, Raman Kashguy, qui fut déclaré irresponsable par un collège d'experts présidé par Melinda Cheu (ancienne directrice de la Recherche de Gen Technologies, une filiale du groupe Zamiatine) et incarcéré pendant un an au centre de soins de Mekong Ride.

Afin de dépassionner l'affaire, le CEO Quinte proposa de créer un système de DSP (Délégation de Service public) pour l'ensemble du marché des fermes de clones sous la surveillance du Parlement.

Jonah Quinte fut nommé P.D.G. de la société d'économie mixte créée à l'occasion pour veiller aux intérêts de Ouang Schock et des patients.

Ashelle Vren, débauchée par Synchro, une chaîne concurrente, laissa entendre lors d'un de ses shows qu'elle avait peut-être été victime d'une manipulation à très haut niveau dans l'affaire Indeed.

Sommée de s'expliquer par la commission d'enquête, elle expliqua ses propos par la déprime nerveuse dont elle était victime.

Aujourd'hui, les fermes de clones de Ouang Schock exportent des organes dans le monde entier et la part de ce secteur dans le chiffre d'affaires de la ville serait de 23 % à change constant.

**DIRECTEUR DE COLLECTION**
Denis LEPEE

**COUVERTURE**
Sylvain KASLIN

**TIMÉE-EDITIONS**
66, rue Escudier - 92100 Boulogne - France
www.timee-editions.com

**IMPRESSION**
France Quercy

*Imprimé en France*

Dépôt légal : Octobre 2008
ISBN : 978-2-35401-079-9